KU-652-536

Jan Brzechwa dzieciom

Ilustrowała
Joanna Rusinek

Nasza Księgarnia

© Copyright by Wydawnictwo „Nasza Księgarnia", Warszawa 2011
Text © copyright by Spadkobiercy Jana Brzechwy, 2011

Wstęp i nota biograficzna autora: Grzegorz Leszczyński

Projekt okładki: Joanna Rusinek

Nota wydawcy:

Tekst *Pchła Szachrajka* na podstawie: Jan Brzechwa, *Oto bajka*,
Czytelnik: Warszawa 1986, wydanie II.

Teksty *Baśń o korsarzu Palemonie, Baśń o stalowym jeżu,
Szelmostwa lisa Witalisa, Za króla Jelonka, Trzy wesołe krasnoludki*
na podstawie: Jan Brzechwa, *Od baśni do baśni*,
Czytelnik: Warszawa 1982, wydanie IV.

Fragmenty z *Akademii pana Kleksa* na podstawie: Jan Brzechwa, *Pan Kleks*,
Czytelnik: Warszawa 1985, wydanie IV.

Czarodziej słowa

Gdyby mnie kiedyś zapytano, kto jest najpopularniejszym bohaterem polskich książek dla dzieci, odpowiedziałbym bez wahania: pan Kleks, bohater powieści Jana Brzechwy, doktor filozofii, chemii i medycyny, profesor matematyki i astronomii, genialny nauczyciel i wynalazca. Żywił się kulkami z kolorowego szkła, miał długie włosy, brodę i wąsy mieniące się wszystkimi kolorami tęczy. Był dziwakiem, nosił długi surdut i kamizelkę, w której dwudziestu czterech kieszeniach mieściło się, niczym w kieszeni małego chłopca, wszystko, co mogłoby się okazać przydatne, np. pompka powiększająca przedmioty do dowolnych rozmiarów. W jego Akademii istniały furtki, przez które uczniowie mogli przechodzić do różnych baśni. Bo pan Kleks jest postacią ze snu i marzeń. W jego obecności świat zmienia się w baśń, a szkolna nauka – w cudowną przygodę.

Jan Brzechwa stworzył wiele takich niezwykłych postaci, które cieszą i śmieszą kilka pokoleń dzieci i dorosłych. Jest wśród tych postaci Pchła Szachrajka, wesoła swawolnica, jest lis Witalis, spryciarz i przechera, jest i korsarz Palemon, i stalowy jeż, który zawędrował na Górę Magnesową... Jan Brzechwa był królem wyobraźni i królem ludzkich serc, potrafił wzruszać i bawić do łez, pozwalał się śmiać z ludzkich wad, śmiesznostek, przywar – a tych bohaterowie jego utworów mieli wiele! Czy ktokolwiek jest w stanie zliczyć wady takiej choćby Pchły Szachrajki? Nikt jeszcze temu nie podołał, ale może Wy spróbujecie? Może Wam się uda? Każda z postaci czymś zadziwia, każda jest niezwykła, każda zachowuje się tak, jak zachowywać się właściwie... nikt nie powinien, po prostu nikt.

Bo świat Jana Brzechwy jest odwrócony do góry nogami, to taki śmieszny świat na opak, w którym ani zwierzęta, ani ludzie nie postępują, jak kazałby im rozum lub serce, ale każdy na swój sposób szuka fantazyjnych rozwiązań, absurdalnych i nierozumnych. Kaczka-dziwaczka chodzi swoimi drogami i za nic ma reguły rządzące światem, zakochani w sobie żuraw i czapla „chodzą wciąż tą samą drogą, ale spotkać się nie mogą". Dziwne to zwierzęta, ale dziwni są też ludzie z Brzechwowych wierszy. Może właśnie za to dziwactwo tak bardzo ich lubimy? Bo wszystkie te postaci są po prostu niezwykłe, szalone, pełne radości życia. Ludzkie i zwierzęce przywary poeta traktuje z przymrużeniem oka, nikogo i za nic nie piętnuje, nie potępia, patrzy na świat z rozbawieniem, śmieje się ze wszystkiego – i tym śmiechem zaraża czytelników. Śmieje się nie tylko z innych, również z samego siebie – a to najtrudniejsza sztuka. Kiedyś pytał dowcipnie:

Skąd się właśnie pewność bierze,
Że nie jestem ptak ni zwierzę,
Tylko człowiek, starszy pan,
Który zwie się Brzechwa Jan?

Potrafi żartować z języka, bawić się nim jak dziecko, dowcipnie zestawiać słowa w taki sposób, by podobieństwo ich brzmienia wywoływało rozbawienie. Jego świat jest oparty na nieskrępowanej wyobraźni, dla której nie ma żadnych granic i w której wszystko okazuje się możliwe – nawet to, że mrówka niesie osła albo że „na dębach rosną jabłka w gronostajowych czapkach".

Najbardziej zdumiewające jest to, że wesołe wiersze dla dzieci zaczął pisać, jak wspominał po latach, w pewien smutny dzień, a skrzącą się cudownymi pomysłami *Akademię pana Kleksa* – w najtrudniejszych latach XX wieku: w czasie drugiej wojny światowej. Jak to robił, że zawsze miał na ustach uśmiech, że gotów był do żartów, że zapraszał do królestwa radości, fantazji i śmiechu mimo smutku, mimo grozy czasu wojny, mimo wszystkich przeciwności losu? Chyba po prostu nie zapomniał, że w środku każdego dorosłego człowieka kryje się dziecko!

Trudno wyobrazić sobie, by ktoś z dzieci lub dorosłych nie znał twórczości Brzechwy, nie czytał jego wierszy i *Akademii pana Kleksa*. Byłoby to najdziwniejsze na świecie. Te utwory po prostu są wokół nas i w nas samych, czy chcemy tego, czy nie – po prostu nas otaczają. Zapamiętane fragmenty powtarzają pradziadkowie, dziadkowie, rodzice i dzieci jako zabawne porzekadła – jednym chórem: „a to feler, westchnął seler", „panie chrzanie, niech pan przestanie", „w Szczebrzeszynie chrząszcz brzmi w trzcinie i Szczebrzeszyn z tego słynie", „tańcowała igła z nitką, igła pięknie, nitka brzydko".

Wielu poetów próbowało Jana Brzechwę naśladować, ale nikomu nie udało się osiągnąć jego mistrzostwa żartu i zabawy, w które wplecione są pełne mądrości spostrzeżenia o ludzkiej naturze, o człowieku. Nikt nie może się równać z tym uśmiechniętym, pełnym dobroci i mądrości czarodziejem słowa.

prof. Grzegorz Leszczyński

OTO BAJKA

Pchła Szachrajka

Chcecie bajki? Oto bajka:
Była sobie Pchła Szachrajka.
Niesłychana rzecz po prostu,
By ktoś tak marnego wzrostu
I nędznego pchlego rodu
Mógł wyczyniać bez powodu
Takie psoty i gałgaństwa,
Jak pchła owa, proszę państwa.

Miała domek na przedmieściu
Po ojczymie czy po teściu,
Dom złożony z trzech pięterek
I pokojów cały szereg.
Więc salonik i sypialnię,
I jadalnię naturalnie,
Gabinecik i korytarz,
O cokolwiek się zapytasz,
Wszystko miała, aż jej gości
Zalewała żółć z zazdrości.

Miała bryczkę, dwa kucyki,
Dojną krowę z Ameryki,
Psa kudłacza, owcę, kurę
Oraz koty szarobure,
Dwa uczone karaluchy
W kuchni pasły sobie brzuchy,

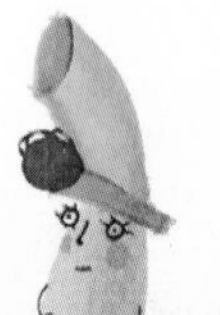

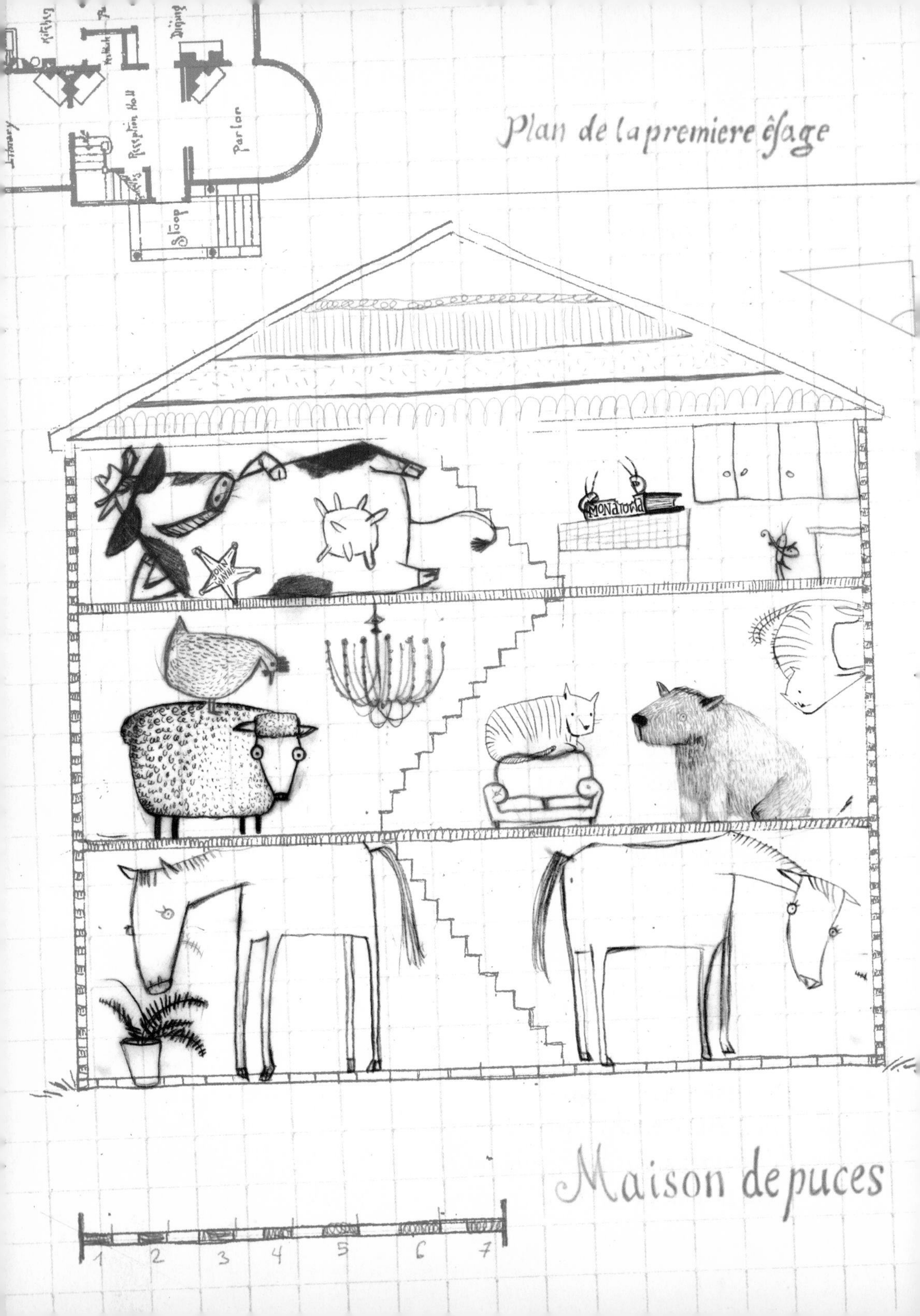

Plan de la premiere étage

Maison de puces

Konik polny Pchle Szachrajce
Co dzień grał na bałałajce,
Jednym słowem, miała życie
Ułożone znakomicie.

Pchła Szachrajka rzekła: „Lubię
Czasem w pchełki zagrać w klubie!".
Więc ubrana jak z igiełki
Pojechała zagrać w pchełki.
Jedzie sobie Pchła Szachrajka
Kolorowa jak mozaika,
Jedzie pełna animuszu,
W żakieciku z lila pluszu,
Z żółtym piórkiem w kapeluszu,
W modrych butach atłasowych,
W rękawiczkach purpurowych.

W klubie bywa tyle osób,
Że przecisnąć się nie sposób.
Pchła krzyknęła: „Dajcie drogę!
Jestem mała, przejść nie mogę!".
Tłum rozstąpił się, a ona
Przeszła środkiem niewzruszona.
Już do stołu mknie czym prędzej
I wyjmuje stos pieniędzy.
„Postawiłabym trzy grosze
Na zielone..."
„Bardzo proszę".
Pchełki skaczą jak szalone,
Tu niebieskie, tam czerwone,
Tu wygrana, tam przegrana...
„Na zielone, proszę pana!"

Pchła Szachrajka była mała,
Między pchełki się wmieszała
I po stole sama skacze.
„Co to znaczy? – myślą gracze –
W którąkolwiek spojrzeć stronę,
Wygrywają wciąż zielone".
Nim się gracze połapali,
Pchła Szachrajka wyszła z sali
I z wygraną swą do domu
Pojechała po kryjomu.

Pomyślała: „Po tej próbie
Nie pokażę się już w klubie".
Taki dała więc telegram:

W PCHEŁKI Z WAMI
WIĘCEJ NIE GRAM

Pchle zachciało się brewerii,
Poszła więc do menażerii.
Właśnie słoń po drodze dreptał,
Pchły o mało nie rozdeptał.
Patrzy: cóż to za źdźiebełko?
„Co tu robisz, pani Pchełko?"

Pchła stuknęła parasolką:
„Jestem pchłą, lecz przy tym Polką!
Żądam większej galanterii,
Panie słoniu z menażerii!".

Słoń pokręcił grzecznie trąbą
I powiada: „Jestem Jombo,
Przyjechałem tu z Colombo”.

Rzecze na to Pchła do słonia:
„A ja jestem rodem z Błonia,
Tam plantację mam wzorową,
Sadzę na niej kość słoniową.
Obok domu dla kaprysu
Trzymam stale sto tygrysów,
Sto kangurów, sto lampartów,
Ze mną, panie, nie ma żartów!”.

Słoń pokręcił trąbą grzecznie:
„Rzeczywiście niebezpiecznie”.
Potem upadł na kolana
I powiedział: „Ukochana,
Takiej właśnie pragnie żony
Jombo, sługa uniżony”.

Pchła usiadła mu na karku,
Przejechała się po parku,
Wreszcie rzekła: „Drogi Jombo,
Imponujesz mi swą trąbą,
Ale tylko trąbą. Zaczem
Możesz zostać mym trębaczem”.

Pchła Szachrajka po obiedzie
Do cukierni bryczką jedzie.
Już z daleka widać z bryczki
Purpurowe rękawiczki.

Pchły ciastkami zwykle gardzą,
Nasza zaś lubiła bardzo
Tartelotki, papatacze,
Ptysie, bezy i sękacze,
Rurki z kremem, tort z wiśniami
I babeczki z malinami.

Wchodzi śmiało do cukierni,
W pas kłaniają się odźwierni,
Już kelnerzy przyklaskują,
Grzecznie w rączkę ją całują.
„Dzisiaj rurki z kremem zjem,
Bo ogromnie lubię krem.
Proszę podać ze trzydzieści,
Stolik więcej nie pomieści".
Przy stoliku pchła zasiadła,
Jedną rurkę z kremem zjadła,
Zostawiła pełną tacę.
„Za tę jedną tylko płacę!"
Wstała, wyszła, od niechcenia
Powiedziała „do widzenia"
I mignęły tylko z bryczki
Purpurowe rękawiczki.

Bardzo dziwią się kelnerzy:
„Jak rozumieć to należy!
O trzydzieści rurek prosić,
A po jednej mieć już dosyć?".
Nagle patrzą: co to? Czemu
W rurkach wcale nie ma kremu?
Wszystkie puste? Co za kwestia?

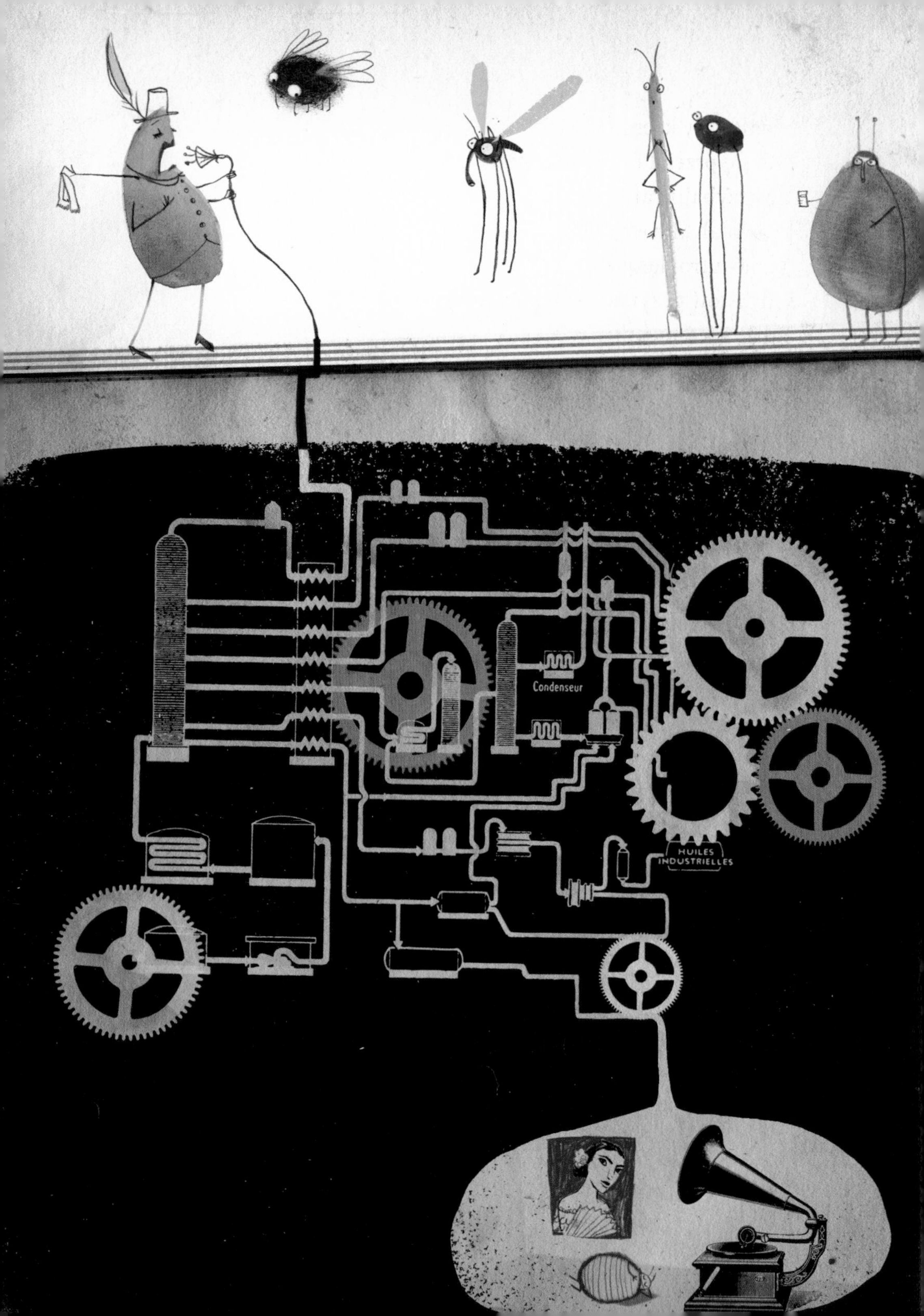
Condenseur
HUILES INDUSTRIELLES

Żuk powiedział tylko: „Żuka
Pchła Szachrajka nie oszuka".
I zapalił dumnie fajkę,
Opuszczając Pchłę Szachrajkę.

Pchle samotność nie służyła,
Lecz że była bardzo miła,
Miała siedem koleżanek,
Czarujących warszawianek,
Młodych, ślicznych jak poranek.
Wszystkie pełne elegancji,
W sukieneczkach prosto z Francji,
Uczesane w modne loczki
I w pończoszkach jak obłoczki.

Pchła wraz z nimi w karnawale
Objeżdżała wszystkie bale,
Plotkowała z nimi stale,
Co dzień każdą koleżankę
Odwiedzała, filiżankę
Czarnej kawy wypijała
I na inne plotkowała.
A że miała powodzenie,
Powodzenia jej szalenie
Zazdrościły koleżanki,
Więc się wciąż słyszało wzmianki:
„Pchła to dziwna jest osoba!
Cóż się w takiej Pchle podoba?
Czy ta wiecznie skromna minka,
Czy błękitna pelerynka,

Purpurowe rękawiczki,
Czy te nóżki jak patyczki?
Albo może uśmiech słodki,
Albo psoty, albo plotki?...".

Tak mówiły koleżanki,
Eleganckie warszawianki.
Pchła w okropną wściekłość wpadła,
Czerwieniła się i bladła,
Że aż w domu wszystko drżało.
„Niegodziwe zazdrośnice!
Niech no tylko je pochwycę,
A już będą trzy kwartały
Pchłę Szachrajkę pamiętały!"

Rozmyślała cały ranek
I do siedmiu koleżanek
Rozesłała siedem kartek,
Pisząc krótko: „Proszę w czwartek
Do mnie, droga koleżanko,
Przyjść na kawę ze śmietanką".
Rozesłała siedem kartek
I na gości czeka w czwartek.

Patrzy, jadą przez ulice
Koleżanki zazdrośnice.
Jadą, jadą koleżanki,
Elegantki z morskiej pianki.

Pchła wybiegła aż na ganek
Na spotkanie koleżanek.

„Witam, cieszę się ogromnie,
Żeście dzisiaj przyszły do mnie!"
I wprowadza je po schodach,
I zaprasza je do środka.
Elegantki wchodzą godnie,
Każda jest ubrana modnie,
Każda w nowym pięknym stroju
Najlepszego w mieście kroju.
„Gdzie jest lustro?"
„W przedpokoju".
Biegnie pierwsza do zwierciadła,
Popatrzyła i pobladła.

„Co to znaczy? Oczy krowie,
Krowie rogi mam na głowie,
I w dodatku krowią postać!
Apopleksji można dostać!"
Biegnie druga do zwierciadła
I jak stała, tak usiadła.
„Ja tak samo, daję słowo,
Jestem krową, zwykłą krową!"
Inne, widząc swe odbicie,
Wpadły w rozpacz: „Czy widzicie?".
I wołały zapłakane:
„To są rzeczy niesłychane!
Elegantkę zmienić w krowę!
To jest Pchły gałgaństwo nowe!
Niech się na nas nie porywa
Pchła Szachrajka niegodziwa,
Znać nie chcemy koleżanki,
Co obraża warszawianki!".

I bez słowa pożegnania
Wyszły wszystkie z jej mieszkania.

Żadna dobrze nie wiedziała,
Jak przemiana ta powstała.
Ale my te sprawki znamy:
Pchła wyjęła lustro z ramy,
A wstawiła arkusz miki,
Dojną krowę z Ameryki
Postawiła z drugiej strony.
Każdy był więc przeświadczony,
Patrząc w mikę należycie,
Że to jego jest odbicie.

Przez ulicę jedzie bryczka,
Pchła w niej siedzi jak księżniczka.
Na ramionach pelerynka,
Spod kapturka słodka minka.
Parasolka mała w dłoni
Przed słonecznym skwarem chroni.
Pchła do sklepu wchodzi godnie.
„Chciałabym się ubrać modnie.
Czy dostanę na sukienki
Jakiś jedwab bardzo cienki?"

Skoczył kupiec i na ladzie
Najpiękniejsze wzory kładzie.
„Wybór nader mam bogaty,
Oto modny jedwab w kwiaty
Żółte, białe, morelowe.
Modre, lila, purpurowe.

Rezedowe i zielone,
Srebrne, złote i czerwone".
Pchła Szachrajka przez dzień cały
Oglądała materiały,
Oglądała, wybierała…
Wybór duży, a pchła mała!
Rzekła wreszcie: „Wielka szkoda,
Nie dogadza mi ta moda,
Może z czasem, do jesieni,
Wśród deseni coś się zmieni".
Choć nic w sklepie nie kupiła,
Ale była bardzo miła,
Więc ją kupiec wyprowadził
I do bryczki grzecznie wsadził.
Gdy uprzątał materiały,
Nagle ręce mu zadrżały,
Patrzy – znikły wszystkie kwiatki,
A pozostał jedwab gładki.
„Ta szachrajka, ta pchła mała,
Wszystkie kwiatki mi zabrała,
Taką w smole warto upiec!" –
Zrozpaczony jęknął kupiec.

A ulicą jedzie bryczka,
Pchła w niej siedzi jak księżniczka.
Staje wreszcie koło domu
I nie mówiąc nic nikomu,
W ulubionym swym ogródku
Sadzi kwiatki po cichutku:
Żółte, białe, morelowe,
Modre, lila, purpurowe,

Rezedowe i zielone.
Srebrne, złote i czerwone.
Pomalutku sadzi kwiatki
Cyklameny, róże, bratki,
Malwy, niezapominajki...
Ślicznie jest u Pchły Szachrajki!

Pchła, podobnie jak kobiety,
Rzadko zajrzy do gazety,
Ale czasem od niechcenia
Czyta drobne ogłoszenia.

Raz więc, nudząc się szalenie,
Przeczytała ogłoszenie,
Że niejaka panna Kika
Na ulicy Kopernika
Pragnie uczyć się języka
Angielskiego.
Pchła szczęśliwa
Już coś knuje, już się zrywa
I po chwili w kapeluszu,
W żakieciku z lila pluszu,
W modrych butach atłasowych,
W rękawiczkach purpurowych
Jedzie wprost na Kopernika,
Tam gdzie mieszka panna Kika.
„Cóż, angielski rzecz niewielka!
A wyglądam jak Angielka,
Jest mi nudno! Mam ochotę
Pannie Kice zrobić psotę!”

Przyjechała, do drzwi dzwoni,
Ogłoszenie trzyma w dłoni.
„Panna Kika? Właśnie do niej…
Z ogłoszenia… Chęć mam wielką
Zostać jej nauczycielką".
Panna Kika była miła,
Szybko sprawę załatwiła,
Mówiąc: „Cieszę się ogromnie,
Że dziś pani przyszła do mnie.
W Ameryce mam krewnego
I dlatego angielskiego
Chcę się uczyć na wypadek,
Gdy dostanę po nim spadek.
Mam tu zeszyt i ołówek
Do pisania obcych słówek.
Dziś jest piątek… Od soboty
Mogę wziąć się do roboty".

Pchła, słuchając, kilka razy
Powtarzała dwa wyrazy
Po angielsku. Jeden znała
Z lat, gdy była jeszcze mała
I lubiła zbierać znaczki,
Drugi zaś – z unrowskiej paczki.

Tak zaczęła się nauka.
Panna Kika słówka duka,
Pchle z wysiłku puchnie główka,
Wciąż dyktuje nowe słówka:
„Tirli – wojsko, pirli – woda,

Tirlipirli – wojewoda.
Fiki – pole, miki – taczka,
Fikimiki – polewaczka.
Limpa – noga, pimpa – droga,
Pimpalimpa – hulajnoga...".
Panna Kika pracowicie
Pisze słówka w swym zeszycie.
Wciąż je sobie przepowiada.
Pchła nie szczędzi pochwał, rada,
Że postępy są w nauce.

„Chyba kurs dla pani skrócę,
Pani pilność jest wzorowa,
A ten akcent, ta wymowa,
Niech się król angielski schowa!"

Jeszcze tydzień lekcje trwały,
Dały wynik doskonały.
Panna Kika, wniebowzięta,
Wszystkie słówka już pamięta
I z zeszytu płynnie czyta,
Jak Angielka rodowita.
Pchła, żegnając uczennicę,
Powiedziała pannie Kice:
„Jestem dumna z panny Kiki,
Pimpalimpa, fikimiki!".

Panna Kika do kawiarni,
Gdzie najludniej i najgwarniej,
Wchodzi, niby dla ochłody
Każe podać sobie lody.

Przyjaciółki siedzą w kółko,
A już Kika przyjaciółkom
Swą wyższością dogryźć rada,
Po angielsku tylko jada,
Po angielsku odpowiada
Słówka, które jej do głowy
Pchła wbijała nieustannie,
By dogodzić próżnej pannie.

Naraz dziwna rzecz się stała,
Rzecz po prostu niebywała.
Oto wszystkie pchły w lokalu,
Skacząc zwinnie cal po calu,
Przeskakując przez stoliki,
Właśnie stolik panny Kiki
Otoczyły i obiegły.

Przyjaciółki się rozbiegły,
A pchły grzecznie wkoło siadły
I ze smakiem lody zjadły.
Przerażona panna Kika
Od stolika szybko zmyka.
Już-już dopaść ma dorożki,
A pchły skaczą na pończoszki,
na spódniczkę, na trzewiki
I w rękawy panny Kiki.
Tu się cała rzecz wydała:
Pchła Szachrajka nie umiała
Po angielsku, bo i skądże?
Chcąc postąpić jednak mądrze,
Nauczyła pannę Kikę

Campb
TOMA
SOUP
MARMITE
HEINZ
BAKED
BEANZ

Władać świetnie pchlim językiem
I dlatego pchły na pewno
Wzięły ją za swoją krewną.

Pchła Szachrajka po tej psocie
Zamieszkała na Ochocie
I przez dwa miesiące prawie
Nie zjawiała się w Warszawie.

Był karnawał. W karnawale
Wszyscy bardzo lubią bale.
Pchła więc myśli: „Doskonale!
Bal wyprawię, lecz nie u mnie.
Trzeba przecież żyć rozumnie".
Rozpisała zaproszenia,
Że bal będzie u Szerszenia
I że właśnie on zaprasza
Na sobotę. Dobra nasza!
Szerszeń, nic nie wiedząc o tym,
Kładł się właśnie spać w sobotę,
A tu nagle mu przed ganek
Wjeżdża szereg aut i sanek.
Szerszeń pełen jest zdziwienia,
Patrzy: co to? Zaproszenia?
„Podpis mój jest sfałszowany,
Ktoś zupełnie mi nieznany
Sobie bal wyprawił u mnie!"
A tu goście jadą tłumnie,
Panie w pięknych toaletach,
W autach, sankach i karetach.
Jak karnawał, to karnawał!

„Ktoś mi zrobił brzydki kawał!" –
Myśli Szerszeń, ale gości
Wita grzecznie – z konieczności.
Pchła, wytworna w każdym calu,
Chętnie wodzi rej na balu.
Ma na sobie suknię nową,
Plisowaną, kolorową,
Ma jedwabne pantofelki,
W lewej ręce wachlarz wielki,
I unosząc się na palcach,
Wiedeńskiego tańczy walca.

Każdy pan jej czar ocenia,
Każdy pyta się Szerszenia:
„Kto ta dama, ta nieznana,
Kto ta piękność, proszę pana?".
Szerszeń mówić nie chce wcale,
Odpowiada coś niedbale,
Zielenieje wprost ze złości:
Nie ma czym nakarmić gości.
„Nic już dzisiaj nie dostanę.
Dam im placki kartoflane!"
Pchła tymczasem od kwadransa
Tańczy z wdziękiem kontredansa,
Główkę schyla i co chwila
Do tancerza się przymila,
I taneczne stawia kroczki
Leciusieńkie jak obłoczki.
Muzykanci grać przestali.
Szerszeń kręci się po sali,
Chciałby wykryć winowajcę

I ukradkiem Pchle Szachrajce
Jednym okiem się przygląda.
Towarzystwo walca żąda!
Pchła już tańczyć nie ma chęci
I odmownie główką kręci.
„Lepiej będzie zejść mu z oczu!"
Chwilę stała na uboczu
I jak stała, tak wypadła,
Do swej bryczki szybko wsiadła,
A nim jeszcze kwadrans minął,
Już leżała pod pierzyną.

Pchle zachciało się podróży,
Bo domowe życie nuży.
Wymuskana, piękna, hoża,
Stoi Pchła na brzegu morza,
Aż tu okręt się nadarzy.
Pchła więc prosi marynarzy:
„Może z sobą mnie weźmiecie,
Podróżować chcę po świecie".
Przybił okręt do przystani:
„Z wielką chęcią, proszę pani!".
Siedzi Pchła już na pokładzie,
To pasjansa sobie kładzie,
To na słońcu się opala,
To przygląda się, jak fala
Obok fali się przewala.
Upłynęły dwa tygodnie –
Tak przyjemnie i pogodnie!
Piętnastego dnia śród fali
Ląd ukazał się w oddali.

HMS NY-12

Pchła powiada: „Kapitanie,
Niechaj okręt tutaj stanie,
Zatęskniłam już za lądem,
Więc na lądzie tym wysiądę”.
Łódź kapitan spuścić każe,
Pchłę żegnają marynarze,
Łódź do brzegu zwinnie dąży,
Biała mewa nad nią krąży.

Przed oczami Pchły Szachrajki
Staje nagle zamek z bajki.
Dookoła groźne wieże,
Każda wieża zamku strzeże,
W wieżach straże i rycerze.
Zobaczyli Pchłę z daleka…
Kto to taki? Straż nie zwleka,
Szybko wsiada na rumaki,
Żeby sprawdzić, kto to taki.
Już do zamku Pchłę prowadzą,
Niech tłumaczy się przed władzą.
Wchodzi Pchła do wielkiej sali,
Gdzie rycerze się zebrali.
Serce omal jej nie pęknie.
Patrzy wokół: „Jak tu pięknie!”.
Schody z saskiej porcelany,
Barwne ściany i dywany,
Pod sufitem słońce płonie,
A w koronie na swym tronie,
W długim płaszczu z gronostajów
Siedzi młody król Bajbaju,
Dumny władca tego kraju.

Pchła więc dworski ukłon składa
I do króla tak powiada:
„Jam księżniczka Białoliczka
W purpurowych rękawiczkach.
Jestem córką króla z bajki,
Władcy wyspy Patatajki,
Pałac mam z czystego złota,
W porcie stoi moja flota.
Sto okrętów na kotwicy
Strzeże portu i stolicy.
Z puchowego wstałam łoża
I tak płynąc poprzez morza,
Szukam męża w obcym kraju".

Rzecze na to król Bajbaju:
„Co dziś mamy? Kwiecień?
W maju
Pojmę damę tę za żonę".
Król powiedział – załatwione!
I do Pchły podchodzi dwornie,
Przed nią skłania się pokornie.
Już rycerze dla parady
Wyciągnęli swoje szpady.
Już pobiegły dworskie służki
Ucałować jej paluszki
I w niespełna pół godziny
Obwieszczono zaręczyny.
Naraz wbiega Kanclerz Państwa.

„Proszę państwa, proszę państwa!
Najjaśniejszy Panie! Pono

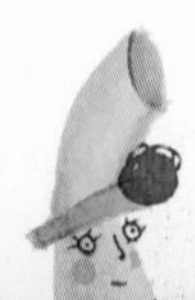

Pchła ma zostać twoją żoną?
Wszak to wcale nie księżniczka,
lecz od głowy do trzewiczka
Pchła zwyczajna, Mości Królu".
Zaroiło się jak w ulu,
Biegną panie i dworzanie
Poruszeni niesłychanie,
Straż zamkowa i rycerze,
Kasztelanki, masztalerze...
Ministrowie patrzą z trwogą
I zrozumieć nic nie mogą.
Król wziął szkło powiększające:
„Pchła! To jasne jest jak słońce!
Proszę podać mi nahajkę,
Bym ukarał Pchłę Szachrajkę!".

Pchła, rzecz prosta, nie czekała,
Parasolkę swą złapała,
Zbiegła na dół jednym susem
I uciekła szybkim kłusem.

Król był bardzo rozgniewany,
Zbiegł po schodach z porcelany,
„Łapcie! – wołał. – Łapcie, gapie!"
Ale takiej nikt nie złapie!

Po miesiącu Pchła z wyprawy
Powróciła do Warszawy.

Na Wielkanoc Pchła Szachrajka
Malowała sama jajka,

Ubijała białą pianę
Na mazurki lukrowane,
Nakładała słodką masę
I orzeszki na okrasę.
Ucierała przez dzień cały
Mak, wanilię i migdały,
Wreszcie rzekła: „Czas już, aby
Służba piec zaczęła baby!".
Przyskoczyły dwie kucharki,
Wzięły mąki cztery miarki,
Sypią cukier tarty miałko,
Kręcą żółtka, biją białko...
„Gdzie podziały się rodzynki?
Nie ma nawet odrobinki!"

Przeszukały dwie kucharki
Wszystkie w domu zakamarki.
Nie ma nigdzie. Pchła w rozpaczy!
„Gdzie rodzynki? Co to znaczy?"
Poleciała na kominki
Do sąsiadek po rodzynki.

U sąsiadek nie dostała,
Małe rączki załamała.
„Bez rodzynków nie ma ciasta!
Trudno, muszę iść do miasta".
Pył strzepnęła z pelerynki
I pobiegła po rodzynki.

Nie dostała ich w kawiarni,
Nie dostała w owocarni

Ani w sklepach kolonialnych.
„To dopiero pech fatalny,
Przecież baby muszę upiec!"
„Cóż poradzę – odrzekł kupiec –
Nie dostałem dziś rodzynków,
Bo rodzynków brak na rynku".

Każda inna kazałaby
Bez rodzynków upiec baby,
Ale Pchła – to rzecz nienowa –
Była bardzo pomysłowa.
Patrzy, widzi sklep z nutami.
Weszła. „Pan łaskawie da mi
Utwór łatwy i zabawny,
I możliwie lekkostrawny.
W święta gości się spodziewam,
Więc im zagram i zaśpiewam".

Rzekł sprzedawca: „Piękna pani,
Coś ładnego znajdę dla niej.
Może walca? Marsza może?
Marsze w dużym mam wyborze,
Dajmy na to, z bardziej znanych:
Marsz żołnierzy ołowianych".
Pchła odrzekła: „Lubię marsze,
Byle tylko nie najstarsze,
Niech pan przegra na pianinie…
Owszem… Pan mi to zawinie…".

I po chwili była w domu.
W domu z marsza po kryjomu

Menu
3 Baby rodzynkow
1 Baby zwyczajne,
1 Tort owocowy bez nadzienia
zepis str. 22
n = gen
will die Mäus=che

Scyzorykiem w trzy minuty
Wydłubała wszystkie nuty,
Bo, jak wiecie, każda nutka
Jest czarniutka, okrąglutka,
Kropka w kropkę jak jagódka.

Do miseczki je wsypała
I do kuchni poleciała.
Tam figlarne strojąc minki,
Rzekła: „Oto są rodzynki!
Będą baby bardzo smaczne,
Zaraz sama piec je zacznę".

I do nocy, tak jak rzekła,
Wielkanocne baby piekła,
A kucharki w czoła pocie
Przyglądały się robocie.

W pierwsze święto przyszli goście.
„Przyszli goście? Proście, proście!"
Wszyscy Pchłę powitać radzi,
Pchła do stołu ich prowadzi,
Do kieliszków wino leje.
„Winko smaczne, mam nadzieję,
Ale ciasto, powiem śmiało,
Wyjątkowo się udało.
Zwłaszcza baby z rodzynkami.
Baby, mówiąc między nami,
Są po prostu znakomite!
Jedzcie, proszę, z apetytem".

i cóż? Po długim poście
Wszystkie baby zjedli goście
Do ostatniej okruszynki.
A że zjedli też „rodzynki”,
Więc im potem tydzień cały
Kiszki głośno marsza grały.
To był właśnie dobrze znany
Marsz żołnierzy ołowianych.

Pchła Szachrajka myśli sobie:
„Tu nic więcej nie przeskrobię,
Tutaj każdy mnie obmawia,
Trudno. Jadę do Wrocławia”.

Pomyślała i po cichu
Zdjęła kufry swe ze strychu,
Spakowała wszystkie stroje,
Ulubione szmatki swoje,
Rękawiczki purpurowe
I trzewiczki atłasowe.

A nazajutrz bardzo wcześnie,
Gdy dom tonął jeszcze we śnie,
Po cichutku się ubrała
I na dworzec pojechała.

W poczekalni pierwszej klasy
Pchła wyjęła swe zapasy,
Zjadła bułki ze dwa deka
I popiła szklanką mleka,
W kąt wtuliła się i czeka.

Poczekała do obiadu,
A pociągu ani śladu.

Tłum tymczasem ciągle wzrasta,
Nowi ludzie ciągną z miasta
Z walizkami, z tobołkami,
Z dziećmi, z psami, z kanarkami...
Och, jak tłoczno! Uf, jak ciasno!
Trudno znaleźć nogę własną,
A tu nowa fala pcha się
W poczekalni i przy kasie,
I w kolejki się ustawia –
Wszyscy jadą do Wrocławia!

Nawet Pchła, choć taka mała,
Tak niewiele miejsca miała,
Że na jednej nóżce stała.

Gdy już czas był na kolację,
Pociąg wtoczył się na stację.
Tłum się rzucił jak szalony,
Biegli ludzie przez perony
Z walizkami, z tobołkami,
Z dziećmi, z psami, z kanarkami...

Do wagonów się tłoczyli
Krzycząc, sapiąc i po chwili
Pełny był już każdy przedział,
Jeden człek na drugim siedział.
Kto chciał jechać, choć był w strachu,
Stał na stopniu lub na dachu,

Albo pchając się niezgorzej,
Szukał miejsca na buforze.

Pchła Szachrajka była mała,
Między ludzi się wmieszała,
Przepychała się wytrwale,
Aż znalazła się w przedziale,
Na kuferku w kącie siadła
I kanapkę z serem zjadła.

Popychano ją bez przerwy,
A że Pchła ma słabe nerwy,
Więc zgnieciona i ściśnięta
Ocierała z łez oczęta.

Wreszcie przyszedł maszynista,
Puścił parę i zaświstał,
Z kolegami porozmawiał,
Po czym ruszył do Wrocławia.

Jedzie pociąg, jedzie, jedzie,
Ludzie tłoczą się jak śledzie,
Z parowozu para bucha,
A dokoła ciemność głucha.

Choć jest duszno i gorąco,
Śpią podróżni na stojąco,
Chrapią, sapią jak najęci,
Tylko Pchłę ta jazda smęci,
Tylko Pchła jest nie w humorze,
Bo bez jaśka spać nie może.

Pociąg stanął. Co to? Kalisz!
A Pchła myśli już: „Azaliż
Mam się gnieść wśród tylu osób?
Wiem, co zrobię! Mam już sposób!”.
I choć duża nie urosła,
Naraz wielki krzyk podniosła,
Naśladując konduktora:
„Wro-cław! Wro-cław! Komu pora,
Proszę państwa, kto wysiada,
Niech wysiada i nie gada!
Mamy postój bardzo krótki,
Postój krótki – trzy minutki!”.

Ludzie ze snu przebudzeni
Wyskakują jak szaleni,
Skaczą drzwiami i oknami
Z dziećmi, z psami, z kanarkami...
A po chwili pociąg ruszył.

Pchła się cieszy z całej duszy.
Sama jedna pozostała.
Przedział duży, a Pchła mała,
Więc wygodnie się rozsiadła
I babeczkę z kremem zjadła.
Wkrótce z dumną miną pawia
Zajechała do Wrocławia.

Długi czas się udawało
Pchle z jej psot wychodzić cało,
Aż tu przyszła klapa wreszcie –
Przyłapano Pchłę na mieście
I zamknięto ją w areszcie.

Popłynęły do więzienia
Doniesienia, zażalenia,
Pozwy, skargi, dokumenty…
Sędzia bardzo był przejęty,
Wkrótce jednak stracił zapał
I za głowę aż się złapał.

„Samych pozwów tutaj mamy
Trzy lub cztery kilogramy!
Ładną wziąłem sobie pracę!
Na niej całe zdrowie stracę,
Osiwieję, wyłysieję,
Niech się lepiej, co chce, dzieje!”

Poszedł sędzia do aresztu
I dozorcy pyta: „Gdzież tu
Pchła Szachrajka?”. „Otóż ona”.
Pchła wychodzi wystraszona
I uśmiecha się nieśmiało,
I wyciąga rączkę małą.

Sędzia chrząknął i powiada:
„Żal mi pani… Trudna rada…
Jeśli pani da mi słowo,
Że uczciwie i wzorowo
Odtąd żyć jest pani zdolna,
Wtenczas będzie pani wolna”.

Pchła odrzekła zawstydzona:
„O, pan sędzia się przekona!
Poprzysięgłam właśnie sobie,

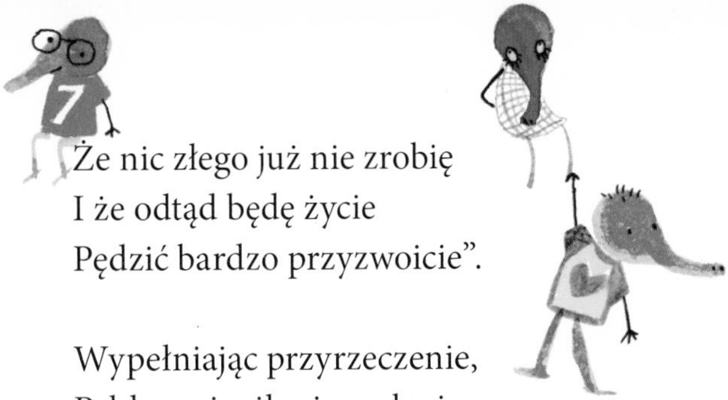

Że nic złego już nie zrobię
I że odtąd będę życie
Pędzić bardzo przyzwoicie".

Wypełniając przyrzeczenie,
Pchła zmieniła się szalenie.
Była odtąd tak uczciwa,
Jak to tylko w bajkach bywa,
Aż ją każdy chwalił wszędzie:
„Z takiej Pchły pociecha będzie!".

Ślub jej odbył się w adwencie
I zapewnić mogę święcie,
Że na jej weselu byłem
I szklankami wino piłem.

Miała dzieci pięć tysięcy
Albo może jeszcze więcej.

Mało dziś jest takich domków,
Gdzie nie byłoby potomków
Owej słynnej Pchły Szachrajki,
Ale… to już koniec bajki.

Baśń o korsarzu Palemonie

I

Kiedy król Fafuła Czwarty
Zachorował nie na żarty,
Do doktora rzekł: „Doktorze,
Nic mi widać nie pomoże,
Przeznaczenie jest nieczułe,
Przyszła kreska na Fafułę.
Muszę umrzeć, wola boża,
Niechaj zbliżą się do łoża
Królewicze i królewny,
Do nich mam interes pewny".
Przed królewskie więc oblicze
Przyszli czterej królewicze
I królewny przyszły cztery,
Tłumiąc w sercach smutek szczery.
Król powiedział: „Już dogasam,
Z dziećmi zostać chcę sam na sam.
Proszę wszystkich wyjść z pokoju
I zostawić nas w spokoju".

Gdy nie było już nikogo,
Król przemówił z miną srogą:
„Drogie dzieci, trudna rada,
Żyć bez końca nie wypada,
Trzeba umrzeć na ostatku.

Dostaniecie po mnie w spadku
Złotych monet dziesięć garnków,
Dwieście wiosek i folwarków,
Wszystkie stada, psiarnie, stajnie,
Pola żyzne nadzwyczajnie,
Lasów obszar niezmierzony,
Wszystko, wszystko – prócz korony,
Bo korona przeznaczona
Jest dla tego, kto pokona
Kapitana Palemona.
Ma on okręt nad okręty,
Nie zwyczajny – lecz zaklęty.
Od stu lat żeglarzy płoszy,
Wszystko niszczy i pustoszy,
Kto go ujrzy choć z daleka,
Tego śmierć niechybna czeka.
Kto się za nim w pogoń puści,
Znajdzie śmierć na dnie czeluści,
Kto go schwyta i pokona,
Temu tron mój i korona!".

Ledwie rzekł to król Fafuła,
Zła gorączka go zatruła,
Strasznych drgawek dostał potem
I zmarł z piątku na sobotę.
No, a już w niedzielę rano
Króla godnie pochowano.
Dzieci ojca opłakały,
Płakał z nimi naród cały,
A gdy minął rok z kawałkiem,
Zapomniano o nim całkiem.

II

Płynie okręt przez odmęty,
Nie zwyczajny – lecz zaklęty,
Pokład pusty, burta pusta,
Poprzez burtę fala chlusta,
Wicher pędzi go i nagli,
Chociaż nie ma na nim żagli.

Lecz co dzień koło południa
Pokład nagłe się zaludnia:
Dźwięczą głosy, dudnią buty,
Ukazuje się z kajuty
Twarz przepita i czerwona
Kapitana Palemona,
Jego broda rozwichrzona,
Oczy ostre jak sztylety,
Dwa za pasem pistolety,
Jednym słowem: postać dzika
Kapitana rozbójnika.
Ukazuje się załoga
Rozbójnicza i złowroga:
A więc sternik kuternoga,
Pięćdziesięciu marynarzy,
Strasznych zbójów i korsarzy,
A na końcu kucharz Chińczyk
I kudłaty pies pekińczyk.

Gdy zaczyna szaleć burza,
Okręt w nurtach się zanurza
I na morskim dnie osiada,

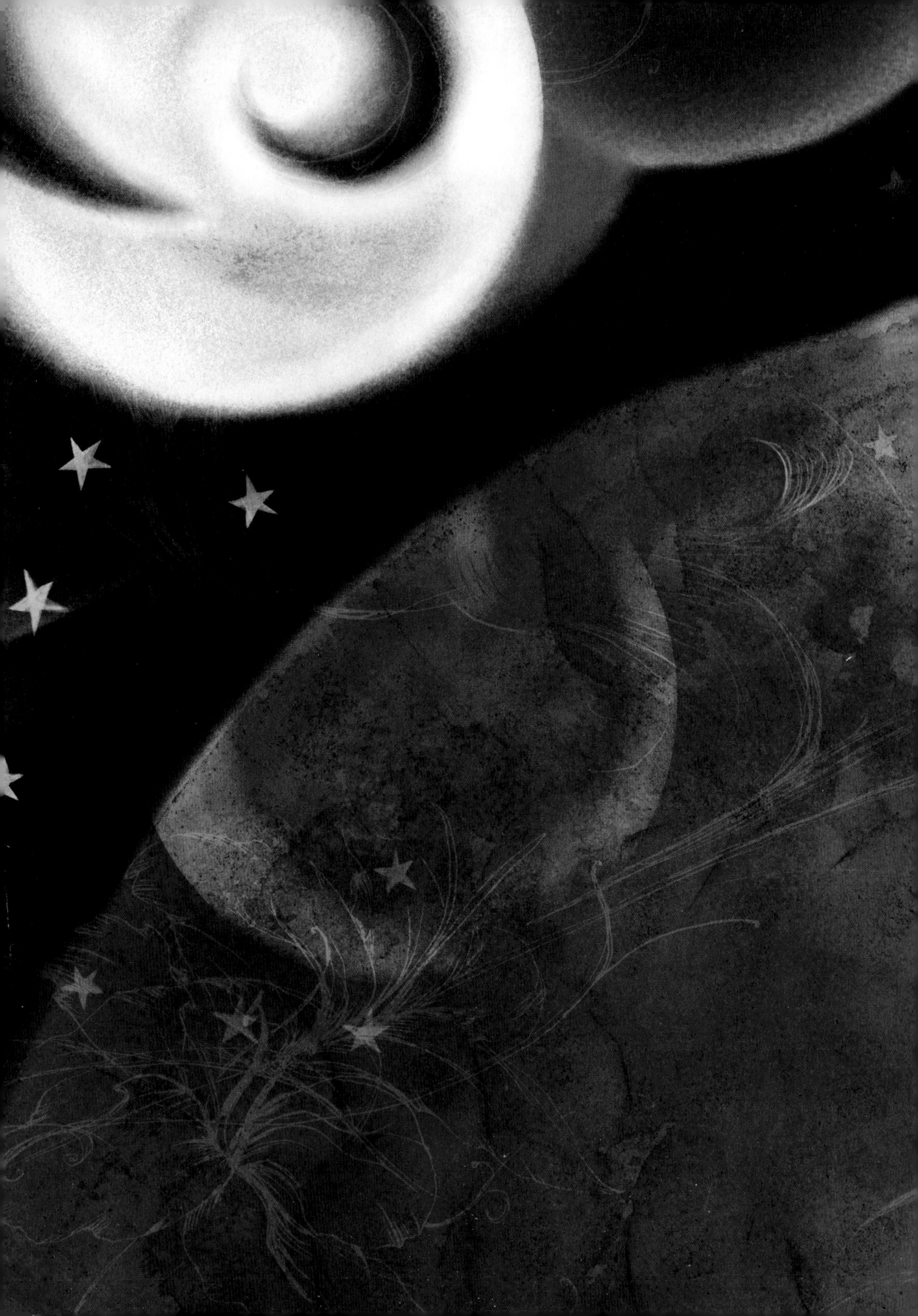

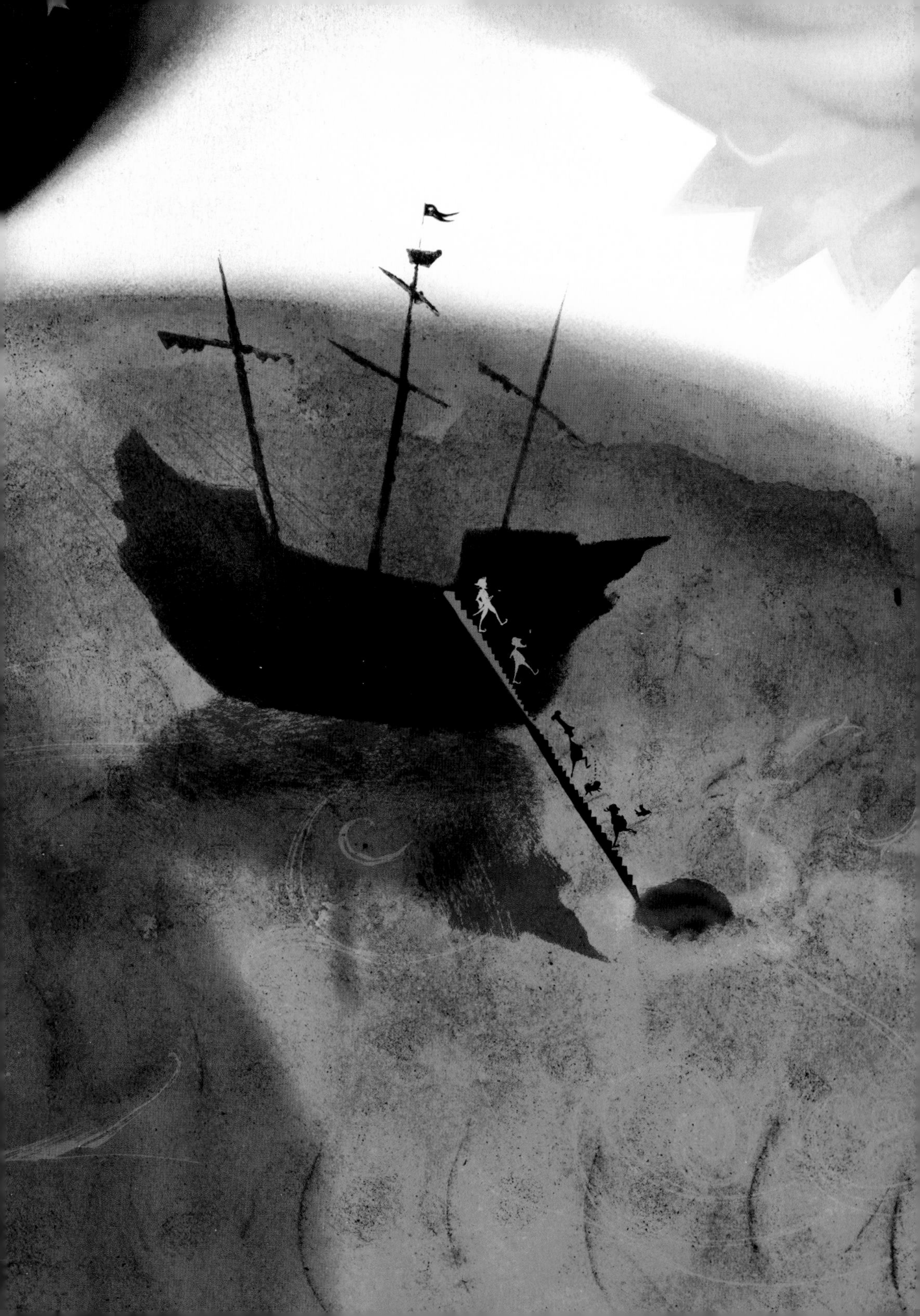

Gdzie niejedna śpi armada.
To – kraina niezmierzona
Kapitana Palemona.
Tam z kryształu są pałace,
Tam korsarze, kończąc pracę,
Odbywają uczty swoje,
Tam planują swe rozboje,
Tam chowają swe zdobycze,
Tam małżonki rozbójnicze
Śpią na skórach rozciągniętych
Pośród złotych ryb zaklętych.
Ośmiornice straż tam pełnią,
Księżyc złotą swoją pełnią
Koralowy gaj oblewa,
W którym chór rusałek śpiewa.

Płynie okręt przez odmęty,
Nie zwyczajny – lecz zaklęty,
Z dna wypływa na powierzchnię,
A gdy tylko dzień się zmierzchnie,
Okręt wznosi się do góry,
Nad obłoki i nad chmury
I zawisa niespodzianie
W lazurowym oceanie.
To – kraina niezmierzona
Kapitana Palemona.
Tam, gdzie mleczna biegnie droga,
Schodzi sternik kuternoga
I kapitan, i załoga.
Z grubej blachy księżycowej
Wykuwają pancerz nowy

I gwiazdami z firmamentu
Przybijają do okrętu.

Tam, na szczycie srebrnej góry,
Mieszka ptak ognistopióry,
Żeby w jego piór pożodze
Ciepło było spać załodze.
Błyskawice straż tam pełnią,
Księżyc srebrną swoją pełnią
Szmaragdowy mrok oblewa,
W którym ptak ognisty śpiewa.

III

Już w tronowej wielkiej sali
Królewicze się zebrali,
Siadły obok nich królewny,
Tłumiąc w sercach smutek rzewny.
W oddaleniu, jak wypada,
Stanął rząd i dumna rada,
Stary kanclerz z twarzą czerstwą,
Poczet książąt i rycerstwo.
Z królewiczów wstał najstarszy,
Piękne czoło groźnie marszczy.
Słucha rząd i dumna rada,
A królewicz tak powiada:
„My, waleczni królewicze,
Przez odmęty tajemnicze
Wyruszamy jutro w drogę.
Mamy okręt i załogę.

Rusznikarzy mamy dzielnych,
Dziesięć armat szybkostrzelnych,
Nurków zastęp wyćwiczony,
Broń, latawce i balony,
I latarnię czarnoksięską,
Która chronić ma przed klęską.
Siostry z nami się zabiorą,
A więc jedzie nas ośmioro.
Cały świat przewędrujemy,
Aż w kajdanach przywieziemy
Kapitana Palemona.
Sprawa jest postanowiona.
Niech tymczasem dumna rada
Mądrze państwem naszym włada,
Rząd niech pieczę ma nad ludem,
Niechaj kanclerz zbożnym trudem
Dla zwycięzcy tron zachowa –
Król to będzie czy królowa!".

Całą noc i dzień bez mała
Pożegnalna uczta trwała.
Rzeką lał się miód stuletni
I bawiono się najświetniej.

A w przystani na kotwicy,
Walcząc z wichrem nawałnicy,
Stał, jak delfin rozpostarty,
Okręt „Król Fafuła Czwarty".
Królewicze i królewny
Pożegnali wszystkich krewnych,
Rząd i radę pożegnali

I na okręt się udali.
Świszczą liny okrętowe,
Do podróży już gotowe,
Furczą żagle, skrzypią reje,
Wyjąc, wiatr pomyślny wieje.
Płynie okręt przez odmęty
W świat nieznany, niepojęty,
Fale pienią się i ryczą.
Biją serca królewiczom,
A królewnom w tajemnicy
Śnią się morscy rozbójnicy.

IV

Mija tydzień, drugi, trzeci,
Okręt lotem wichru leci,
Niecierpliwi się załoga,
Że nie widać nigdzie wroga.
Królewicze z bezczynności
Na pokładzie grają w kości,
A królewny w swych kajutach
Robią ciepły szal na drutach.
Naraz jedna z nich powiada:
„Ja bym była bardzo rada,
Gdyby postać wymarzona
Kapitana Palemona
Ukazała się w kajucie".
„A ja dziwne mam przeczucie –
Rzecze druga – że z nas jedna
Z tym korsarzem się pojedna

I zostanie pokochana
Przez strasznego kapitana".
Rzecze trzecia: „Jako żona
Kapitana Palemona,
Jedna z nas królową będzie".
Czwarta na to: „Niech przybędzie,
Niech podejmie walkę z braćmi
I odwagą wszystkich zaćmi".

Ledwie rzekły to królewny,
Runął z nieba wicher gniewny,
Porwał liny, stargał żagle,
Ciemna noc zapadła nagle,
Skotłowały się bałwany
I w ten odmęt skotłowany
Uderzyła nawałnica.
Mrok rozdarła błyskawica
I jej światło zielonkawe
Ukazało dziwną nawę,
Która w mrokach na obłokach
W dół spuszczała się z wysoka.

Królewicze patrzą z trwogą
I zrozumieć nic nie mogą:
Płynie okręt przez odmęty,
Nie zwyczajny – lecz zaklęty.
Wicher pędzi go i nagli,
Chociaż nie ma na nim żagli,
I z daleka już dolata
Jego srebrnych blach poświata.
Rozhukały się armaty,

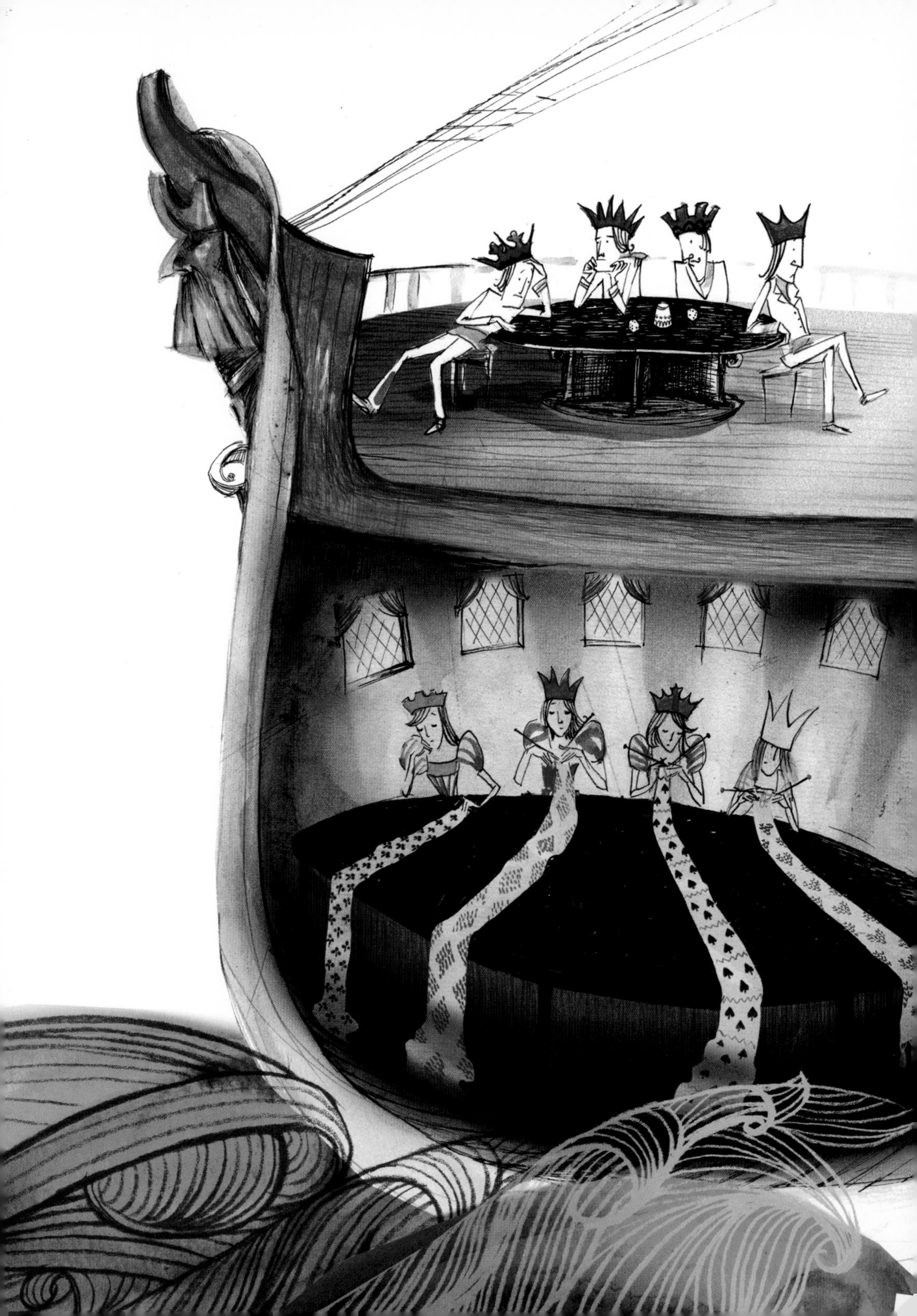

Biją w środek tej poświaty.
Przez latarnię czarnoksięską
Jasność sączy się zwycięsko,
Rozpryskują się pociski
Po spienionej fali śliskiej.
Odrzucono pistolety,
Królewicze przez lunety
Patrzą w ciemną dal i sami
Już kierują armatami.

Płynie okręt przez odmęty,
Nie zwyczajny – lecz zaklęty,
Niby stwór niesamowity
W zielonkawą mgłę spowity.
Pokład pusty, burta pusta,
Poprzez burtę fala chlusta,
A on płynie jak na skrzydłach,
Prosto z bajki o straszydłach,
W ciemność, burzę i zawieję
I w ciemności olbrzymieje.
Kto go ujrzy choć z daleka,
Tego śmierć niechybna czeka.

Królewicze więc od razu
Dali rozkaz. W myśl rozkazu,
By móc patrzeć w tamtą stronę,
Każdy włożył szkła zaćmione,
Szkła przedziwnie szlifowane,
Czarem snu zaczarowane.
W królewiczach zapał płonie:
„Kapitanie Palemonie,

Nie bądź tchórzem, wyjdź z ukrycia,
Walcz, nie żałuj swego życia!".

Ale okręt pustką zieje,
Przez odmęty, przez zawieje
Lekko mknie po fali śliskiej,
Nie trafiają weń pociski,
Maszt nietknięty w górze sterczy
I jedynie śmiech szyderczy
Straszliwego kapitana
Dźwięczy w wichrach i w bałwanach.

V

Z królewiczów jeden rzecze:
„Na nic kule, na nic miecze,
Kapitana Palemona
Oręż zwykły nie pokona,
A to dla nas kwestia tronu!
Wsiądźmy razem do balonu,
Wieje właśnie wiatr północny,
Wiatr ten będzie nam pomocny.
Napadniemy okręt wraży,
Uderzymy na korsarzy
Granatami, latawcami,
Nie poradzą sobie z nami!".

Projekt został wnet przyjęty:
Balon wzniósł się nad odmęty,
Wicher pognał go przed siebie

I pogrążył w mrocznym niebie.
Lecą dzielni królewicze
W dale mgliste i zwodnicze.
Zimny wiatr napełnia płuca,
Balon szarpie i podrzuca,
I nad wrogi niesie statek.
Dobywając sił ostatek,
Królewicze w jednej chwili
Na piratów uderzyli.
Przebiegają pokład żwawo,
Patrzą w lewo, patrzą w prawo:
Pokład pusty, burta pusta,
Poprzez burtę fala chlusta.
Z kim tu walczyć? Gdzie załoga?
Na okręcie nie ma wroga!
I okrętu nie ma wcale,
Jeno płynie poprzez fale
Księżycowa mgła zielona,
Której oręż nie pokona.

Królewicze byli wściekli,
Że w tę mgłę się przyoblekli
I że wiatr ich niesie żwawo
Z tą zaklętą, dziwną nawą.
Ale już koło południa
Nawa nagle się zaludnia.
Ukazuje się załoga
Rozbójnicza i złowroga:
A więc sternik kuternoga,
Pięćdziesięciu marynarzy,
Strasznych zbójów i korsarzy,

A na końcu kucharz Chińczyk
I kudłaty pies pekińczyk.
Nie ma tylko kapitana.
Cóż za sprawa niezbadana?
Gdzie przebywasz, w jakiej stronie,
Kapitanie Palemonie?

Przybliżyli się korsarze,
Królewiczom patrzą w twarze:
Co za jedni? Skąd się wzięli?
Czy zjawili się z topieli?
Szczerzy zęby kucharz Chińczyk,
Obwąchuje ich pekińczyk,
Każdy milczy, każdy czeka,
Nawet pies – i ten nie szczeka.

Nagle sternik śmiechem parska,
Parska śmiechem brać korsarska.
Aż za brzuch się trzyma kucharz,
Nawet pies ze śmiechu spuchł aż.
Wreszcie sternik tak powiada:
„Jest to zwykła maskarada,
Myśmy rząd i dumna rada.
Król Fafuła w testamencie
Zlecił takie przedsięwzięcie,
By wybadać wasze męstwo.
Osiągnęliście zwycięstwo
I pochwały, i zdobycze,
Wielce dzielni królewicze.
Właśnie są królestwa cztery,
Które mają zamiar szczery

Ofiarować wam swe trony.
Wybór jest postanowiony –
Cztery statki stoją w porcie;
Z wygodami i w komforcie
Do swych królestw pojedziecie,
By zabłysnąć w całym świecie;
Tam już czeka lud stęskniony,
Złote berła i korony".

Gdy to sternik rzekł – korsarze
Odmienili swoje twarze,
Zdjęli wąsy, zdjęli brody
I wrzucili je do wody.

Królewicze są jak we śnie:
Spoglądają jednocześnie
Na sternika, co zamierza
Przeistoczyć się w kanclerza,
Przyglądają się obliczom
Dobrze znanym królewiczom,
Członków rady obejmują,
Z ministrami się całują.
Zaraz kanclerz na okręcie
Wydał na ich cześć przyjęcie
I rzekł żartem w swej przemowie:
„Czterech królów piję zdrowie –
Karowego, kierowego,
Pikowego, treflowego.
Zmarły król Fafuła Czwarty
Bardzo lubił zagrać w karty".

Uczta była znakomita,
Każdy najadł się do syta,
Rzeką lał się miód stuletni
I bawiono się najświetniej.

VI

A w kajutach swych królewny
Rozważają los niepewny:
Odlecieli królewicze
W dale mroczne i zwodnicze,
Może już nie żyją, może
Powpadali wszyscy w morze?
A tu przyjdą rozbójnicy,
Tacy straszni, tacy dzicy,
I królewny uprowadzą,
I do ciemnych lochów wsadzą.
Jak się bronić przed tą zgrają?
Gdy tak smutnie rozmyślają,
Nagle drzwi się otwierają,
Wchodzi młodzian bardzo zgrabny,
Bardzo młody i powabny
I królewnom ukłon składa.
Żadna z nich nie odpowiada,
Jednocześnie wszystkie zbladły
I jak stały, tak usiadły.
Wyciągają drżące dłonie:
„Nie zabijaj, Palemonie!”.

Młodzian znowu ukłon składa,
Po czym śmiejąc się, powiada
Wprost, bez żadnej ceremonii:
„Jam jest władca Palemonii,
Król Palemon, proszę bardzo,
Niechaj panie mną nie gardzą,
Łagodnego jestem serca
I nikogo nie uśmiercam,
A historia o piracie
To jest bajka, czy ją znacie?
Choć to bajka nieprawdziwa –
Sens ukryty w bajce bywa".

Zapłoniły się królewny,
Tłumiąc w sercach smutek rzewny:
Wymarzyły w snach pirata,
A tu król jest. Taka strata!
Los niekiedy figle płata.
Król Palemon się przywitał,
Siadł, o zdrowie grzecznie pytał
I rozwodził się nad statkiem,
I rozglądał się ukradkiem.

Trzy królewny były cudne:
Zgrabne, gładkie, białe, schludne,
Czwartej zaś los figla spłatał:
Czwarta była piegowata,
Niepozorna i brzydula –
Uśmiechnęła się do króla.

A ślicznotki trwały dumnie.
„Brzyduleńko, zbliż się ku mnie –
Rzecze król Palemon czule –
Chcę za żonę mieć brzydulę!"
A ślicznotki klaszczą w dłonie:
„Świetnie, królu Palemonie!
Choć siostrzyczka nie jest ładna,
Ale dobra tak jak żadna,
Niezrównana będzie żona
I królowa wymarzona!".

Ucałował król brzydulę,
Pierścień dał, co miał w szkatule,
Bo tak zawsze robią króle.

VII

Połączono dwa okręty:
Ten zwyczajny i zaklęty.

Wszyscy są już na pokładzie.
Stoi rząd przy dumnej radzie,
Królewicze i królewny,
Król Palemon, poczet krewnych,
Nawet stary kucharz Chińczyk
I kudłaty pies pekińczyk.

Gdy skończyła się parada,
Wyszedł kanclerz i powiada:
„Król Fafuła w testamencie

Zlecił takie przedsięwzięcie,
Że korona przeznaczona
Jest dla tego, kto pokona
Kapitana Palemona.
Pokonała go królewna,
A więc rzecz jest całkiem pewna,
Że jej miejsce jest na tronie
Przy małżonku Palemonie".

Zaraz kanclerz na okręcie
Wydał na ich cześć przyjęcie
I rzekł żartem w swej przemowie:
„Czterech dam wypijmy zdrowie,
Bo to jasne jest, że mamy
Na pokładzie cztery damy:
Jest kierowa, jest karowa
I pikowa, i treflowa.
Zmarły król Fafuła Czwarty
Bardzo lubił zagrać w karty!".

Uczta była znakomita:
Każdy najadł się do syta,
Rzeką lał się miód stuletni
I bawiono się najświetniej.

Choć to bajka nieprawdziwa –
Sens ukryty w bajce bywa.

Baśń o stalowym jeżu

Na ulicy Czterech Wiatrów
Niedaleko Bonifratrów
Do zachodnich ścian przytyka
Sklep Magika Mechanika.
Sklep ten zawsze jest zamknięty,
Lecz przez okno wystawowe
Widać różne dziwne sprzęty,
Różne części metalowe,
Tajemnicze instrumenty,
Automaty, lalki, skrzynki,
Nakręcane katarynki,
Śpiewające psy i świnki.

Z głębi sklepu znad stolika
Patrzą oczy Mechanika.
Widać jego twarz niemłodą,
Okoloną rudą brodą,
Duże uszy, nos spiczasty
I krzaczaste brwi jak chwasty.

Całe noce Magik siedzi
Pośród zwojów drutu z miedzi,
Warzy zioła, praży kwasy
I uciera kuperwasy.
Kto zobaczy Mechanika,
Tego zaraz lęk przenika,

SKLEP
MAGIKA
MECHANIKA
ZAMKNIĘTE

Ten ucieka od wystawy,
Choćby nawet był ciekawy.

Dnia pewnego w październiku
Napłynęło chmur bez liku,
Runął wicher porywiście,
Poleciały żółte liście,
Zaciemniły się błękity,
Zgęstniał mrok niesamowity.
Snadź żałosny śpiew jesieni
Albo napływ nocnych cieni,
Albo gwiazd zupełny zanik
Sprawił właśnie, że Mechanik
Usnął nagle przy stoliku
Dnia pewnego, w październiku.

Spał jak kamień. A tymczasem
Drzwi rozwarły się z hałasem
I ze sklepu na ulicę
W noc, w jesienną nawałnicę
Wybiegł z chrzęstem jeż stalowy.
Miał przyłbicę zamiast głowy,
Od przyłbicy aż po pięty
W stal hartowną był zaklęty.
Miał też pancerz – z każdej strony
Mnóstwem igieł najeżony,
Nadto miecz ze stali twardej,
Tarczę tudzież halabardę.

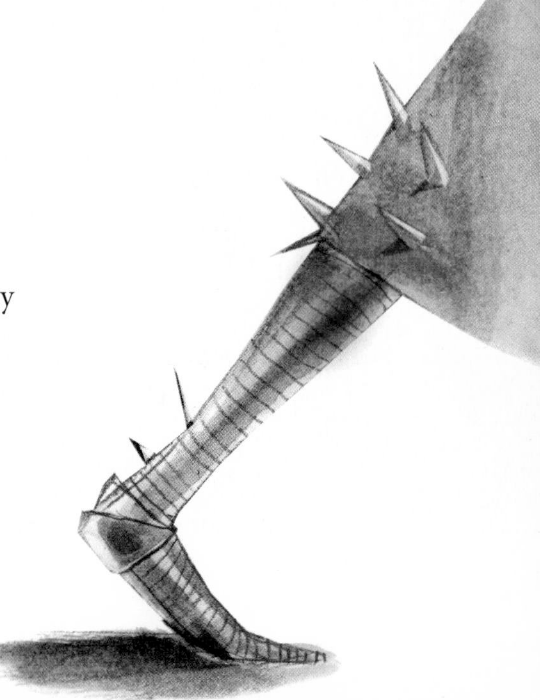

Jeż przez chwilę nasłuchiwał,
Coś wspominał, coś przeżywał.
Spojrzał w noc październikową
I zacisnął pięść stalową.
W krąg ulica była pusta.
Mrok narastał, wiatr nie ustał,
Deszcz jesienny w szyby chlustał.

Co się stało, to się stało,
Widać tak się stać musiało,
Jeż więc naprzód ruszył śmiało,
Pędził w dal opustoszałą,
Pod murami się przemykał
I w zaułkach ciemnych znikał.
A gdy biła jedenasta,
Jeż opuścił mury miasta.

Minął sady i ogrody,
Przebiegł szybko gaik młody,
Aż wydarłszy się zawiei,
Jeż stalowy dopadł kniei.
Tu odetchnął. Leśne zmory
W dziuplach jadły muchomory,
W opuszczonym jarze strzygi
Odprawiały na wyścigi
Swoje pląsy i podrygi,
Wiedźmy spały w gniazdach wronich,
Sowy piały, a koło nich,
Wyskoczywszy na wierzchołek,
Na piszczałce grał Dusiołek.

Jeż przez chwilę odpoczywał,
Coś wspominał, coś przeżywał,
Lecz niebawem ruszył dalej,
Budząc wiedźmy chrzęstem stali.

Brzask od wschodu jaśniał złudnie,
A Jeż zdążał na południe,
Stanął właśnie na polanie,
Gdy znienacka, niespodzianie
Ujrzał tam, gdzie rzednie knieja,
Czarodzieja Babuleja.

Miał Babulej łeb jak skała,
Z nozdrzy para mu buchała,
Wylatywał ogień z gęby,
Miał ramiona jak dwa dęby,
Każdą nogę miał jak wieża.
Gdy się ocknął, spostrzegł Jeża.

Był Babulej tak potężny,
Że Jeż mężny i orężny
Zbladł – o ile jeże bledną,
Ale to jest wszystko jedno.
Rzekł Babulej: „Hej, rycerzu,
Hej, stalowy dzielny Jeżu,
Jaka moc i jaka władza
Do tej kniei cię sprowadza?
Czy przybywasz do mnie w gości,
Czy chcesz zabrać moje włości,
Czy też cel masz niedościgły,
Aby we mnie wbić swe igły?".

Jeż zawołał: „Dobrodzieju,
Czarodzieju Babuleju,
Od przyłbicy aż po pięty
Jam stalowy Jeż – zaklęty
Przez Magika Mechanika –
I wprost żałość mnie przenika,
Kiedy patrzę na mą zbroję,
Na stalowe igły moje.
Twoja mądrość jest bez miary,
Powiedz, jak mam zrzucić czary?
Dokąd iść mam? Wskaż mi drogę,
Bo tak dłużej żyć nie mogę".

Zastanowił się Babulej
I do Jeża rzekł już czulej:
„Z tej krynicy wody ulej.
Kiedy nią przemyjesz oczy,
Wnet przed tobą się roztoczy
Gładka droga. Idź nią żwawo,
Byle w prawo, zawsze w prawo!
Gdy dotrzymasz tego święcie,
Spadnie z ciebie złe zaklęcie".
Jeż uściskał Babuleja.
„W tobie cała ma nadzieja" –
Rzekł z wdzięcznością. Bez przeszkody
Nalał w dłoń cudownej wody,
Wodą plusnął sobie w oczy,
Aż tu nagle się roztoczy
Droga gładka, lecz zawiła:
Cała we mgle się gubiła,
Porośnięta przy tym była

Migotliwą srebrną trawą.
Jeż tą drogą ruszył w prawo.

Szedł bez przerwy aż do zmroku,
Nie zwalniając nawet kroku,
Ani nie jadł, ani nie pił,
Tylko chłodem się pokrzepił.
Dziwne dziwy widział z lewa:
Migdałowe kwitły drzewa,
Kolorowych słońc ulewa
Oblewała piękne place,
Na nich domy i pałace,
A w pałacach rajskie ptaki,
A w ogrodach złote maki,
A wokoło mleczne rzeki
Zdążające w świat daleki.

Jeża złudy nie skusiły.
Wytężając wszystkie siły,
Ciągle w prawo szedł po drodze,
Pamiętając o przestrodze.
I po stronie właśnie prawej
Ujrzał Jeż rtęciowe stawy.
Falowała rtęć srebrzyście
I srebrzyła się faliście,
I jaśniała uroczyście,
Blask rzucając na wybrzeża,
Na dal mroczną i na Jeża.

Jeż przed siebie śmiało dążył,
W żywym srebrze się pogrążył

I przez rtęci śliskie fale
Płynął silnie i wytrwale.
Stoczył przy tym bój zajadły,
Bowiem zewsząd go opadły
Wygłodniałe złe trytony,
Ale on, niezwyciężony,
Mieczem rąbał i wywijał,
Aż je wszystkie pozabijał.
Gdy Jeż stawy wreszcie przebrnął,
Połyskiwał zbroją srebrną.

Kroczył naprzód niestrudzony,
Rtęcią złudnie posrebrzony,
Miecz wyostrzył, jak należy,
A gdy mrok się rozlał szerzej,
Zszedł w Dolinę Nietoperzy.
Czuł, że bój nie będzie błahy:
Nietoperze z kutej blachy,
Z metalicznym skrzydeł chrzęstem,
Uderzyły rojem gęstym,
Ćmy blaszane o północy
Przyleciały do pomocy,
A ze szczelin pełzły strachy,
Nocne strachy z kutej blachy.

Jeż odważnie się najeżył,
Halabardą się zamierzył,
Wpadł w sam środek nietoperzy
I na oślep ciął z rozmachem
Napastliwą groźną blachę.
Ciem padały całe stosy,

A on wciąż zadawał ciosy,
Nietoperzy chmary tępił,
Tarczę pogiął, miecz przytępił,
Deptał blachę pokonaną,
A gdy bój się skończył rano,
Stwierdził Jeż swój triumf świeży,
Więc z Doliny Nietoperzy,
W której posiał śmierć i trwogę,
Wyszedł znów na gładką drogę.

Mgła, jak zwykle, drogi strzegła,
Droga prawą stroną biegła.
A gdy świt był niedaleko,
Stanął Jeż nad wielką rzeką.
Nurt burzliwy i spieniony
Tworzył wiry z prawej strony.
Jeż to zoczył, lecz nie zboczył,
Tylko w środek wirów skoczył.
Płynął śmiało jak na połów,
A gdy przemógł moc żywiołów,
Ujrzał Wyspę Trzech Bawołów.
Był na wyspie las potężny,
Nie drewniany, lecz mosiężny,
Z lasu, sadząc przez wądoły,
Wyskoczyły dwa bawoły
I ruszyły wprost na Jeża,
Który dotknął już wybrzeża.
Ziemia drżała, tratowana
Przez bawoły. Gęsta piana
Wystąpiła im na pyski,

W ślepiach drgały krwawe błyski,
A kopyta ich potężne,
Nie zwyczajne, lecz mosiężne,
I mosiężne wielkie rogi
W sposób groźny i złowrogi
Skierowały się na Jeża:
Tylko bawół tak uderza.
Jeż, do walki już gotowy,
Wyjął z pochwy miecz stalowy,
W bok uskoczył i zawzięcie
Rąbnął mieczem. Straszne cięcie
Zmiotło sześć bawolich rogów,
Które spadły wśród rozłogów.
Ich mosiężny dźwięk rozbrzmiewał,
O mosiężne tłukł się drzewa
I przez echo powtórzony,
Brzmiał i grzmiał na wszystkie strony.

A bawoły, chyląc głowy,
Legły rzędem. Jeż stalowy
Stał podparty halabardą
I przyglądał się z pogardą
Pokonanym swoim wrogom
I mosiężnym wielkim rogom,
Po czym w prawo ruszył drogą.

Dziwne dziwy widział z lewa:
Z białych skał sfrunęła mewa
Trzepotliwa, śnieżnobiała,
W dziobie złoty klucz trzymała,
Kluczem skały otwierała,

Otwierała złote bramy,
Skarbce, zamki i sezamy.

On szedł w prawo, ciągle w prawo,
Gardził złotem, gardził strawą,
Szedł bez przerwy, aż do zmroku,
Nie zwalniając nawet kroku.
Ani nie jadł, ani nie pił,
Tylko chłodem się pokrzepił.

Kiedy tak przez piachy kroczył,
Z pochwy naraz miecz wyskoczył
I pofrunął w dal z łoskotem,
Tarcza za nim w ślad, a potem
Halabarda, mknąc przed siebie,
Znikła szybko w nocnym niebie.

Jeż oniemiał, Jeż się zdumiał,
Ale zanim coś zrozumiał,
Jakaś siła niebywała
Nagle z ziemi go porwała
I poniosła jak źdźbło słomy
W świat daleki, niewiadomy.

Jeż w niezwykłym swoim locie
Widział gwiazd jarzących krocie,
A pod sobą czarną chmurę,
A przed sobą wielką górę
Niebotyczną i wyniosłą –
Do niej właśnie Jeża niosło.

Jeż wytężył wyobraźnię,
Wzrok wytężył i wyraźnie
Widział teraz i miarkował,
Że to Góra Magnesowa
Z dali ciemnej się wyłania,
Że jej siła przyciągania,
Nieodparta i straszliwa,
Stal unosi i porywa.

Leciał Jeż jak srebrna kula,
Brzęczał tak jak pszczoła z ula,
Góra przed nim w oczach rosła
Niebotyczna i wyniosła,
Wreszcie gniewny i ponury
Przylgnął Jeż do zbocza góry.

Stał bezbronny, pełen trwogi,
Magnes więził jego nogi
I krępował wszystkie ruchy,
Tak jak muchę lep na muchy.

Chcąc się wydrzeć z tej niewoli,
Jął poruszać się powoli,
Jął powoli piąć się w górę,
Nie zważając na wichurę.
Szedł pięć godzin, aż o świcie
Wreszcie znalazł się na szczycie.

Był tam pałac z gwiazd wysnuty
I był człowiek w złocie kuty
I obuty w złote buty.

A dokoła w barwnej śniedzi
Stali ludzie z brązu, miedzi
I z mosiądzu, i z ołowiu –
Stali wszyscy w pogotowiu.
Władca Góry Magnesowej
Do zdobyczy swojej nowej
Krzyknął: „Jam jest w złocie kuty
I obuty w złote buty,
Bezprzykładna dzielność twoja
Ani pancerz, ani zbroja
Nie uchronią cię przede mną.
Ja mam taką moc tajemną,
Że się tylko stalą żywię
I na górze tej szczęśliwie
Miedzią, brązem i mosiądzem
Jak posłusznym ludem rządzę.
Broń się, Jeżu! Mam ochotę
Stal twą przebić ostrzem złotym!".

Jeż zawołał: „Niech się stanie!
Chodź, przyjmuję twe wyzwanie.
Nie mam miecza ani tarczy,
Ale igieł mi wystarczy!".
Po tych słowach pięść zacisnął,
Złoty rycerz tarczą błysnął,
Błysnął złotym swym pancerzem,
A gdy stanął tuż przed Jeżem,
Porwał szybko w dłoń waleczną
Złotą klingę obosieczną.

Zawrzał bój. I brzęk metali,
Naprzód złota, potem stali,
Dookoła się rozlegał
I wraz z echem w dal wybiegał.
Nagle dopadł Jeż rycerza
I straszliwa igła Jeża
W pancerz wbiła się ze zgrzytem.
Rycerz zachwiał się, a przy tym
Krwi czerwonej kropla spadła,
Krew trysnęła na wiązadła,
Na napierśnik, na przyłbicę,
Na stalowe rękawice.

Właśnie krwi tej kropla świeża
Złe zaklęcie zdjęła z Jeża.
Pękła stal, przyłbica spadła
I dziewczyny twarz pobladła
Wyłoniła się ze stali,
A tu stal pękała dalej,
Opadała jak łupina –
Wyszła z niej na świat dziewczyna,
Jawiąc wdzięki swe dziewczęce
I dziewczęce białe ręce,
I kibici kształt powabny,
Obleczony w strój jedwabny.
Rycerz patrzał ze zdumieniem,
Podszedł, objął ją ramieniem
I na jego pierś złocistą
Łza jej spadła kroplą czystą.

I – o Boże! – łza ta świeża
Zdjęła czary złe z rycerza,
Złoto spadło zeń. Okowy
Władcy Góry Magnesowej
Nie zdołały już się ostać
I młodzieńca piękna postać
Przed dziewczyną kornie stała,
A dziewczyna promieniała,
Białe ręce wyciągała.

Świat spowiła mgła różowa,
W mgle tej Góra Magnesowa
Rozpłynęła się, przepadła,
Tak jak nikną złe widziadła
I dokoła zaszła zmiana
Niewidziana, niespodziana:
Migdałowe kwitły drzewa,
Kolorowych słońc ulewa
Oblewała piękne place,
Na nich domy i pałace,
A w pałacach rajskie ptaki,
A w ogrodach złote maki,
A dokoła mleczne rzeki
Zdążające w świat daleki.

Cały bezmiar grał i śpiewał.
Z białych skał sfrunęła mewa,
Trzepotliwa, śnieżnobiała,
W dziobie złoty klucz trzymała
Kluczem skały otwierała,

Otwierała złote bramy,
Skarbce, zamki i sezamy.

A młodzieniec rzekł najczulej:

„Zaczarował mnie Babulej,
Zakuł w złoto swym zaklęciem,
A ja jestem sławnym księciem,
Dzielnym księciem Złotowojem,
Właśnie jesteś w państwie moim".

„A ja – rzekła mu dziewczyna –
Jestem panna Klementyna,
Pasierbica Mechanika –
Śledziennika i magika.
Ach, to złośnik jest nieczuły,
Jego słowa mnie zakuły
W stal okrutną, w postać Jeża,
Który nie wie, dokąd zmierza".
„Porzuć troskę nadaremną –
Rzekł Złotowój. – Zostań ze mną.
Mowie serca chciej uwierzyć,
Pragnę z tobą życie przeżyć,
Będziesz dobrą moją żoną,
Szanowaną i wielbioną,
Mieszkać będziesz w tych ogrodach,
Wchodzić będziesz po tych schodach,
Siedzieć będziesz na tym tronie,
Jak przystało mojej żonie!"

Klementyna się zgodziła,
Była dobra, była miła,
Z mężem dużo lat przeżyła
W wielkim szczęściu i bez waśni
I to właśnie koniec baśni.

Na ulicy Czterech Wiatrów
Niedaleko Bonifratrów
Do zachodnich ścian przytyka
Sklep Magika Mechanika.
Sklep, zamknięty na trzy spusty,
Jest od dawien dawna pusty,
Lecz przez szybę wystawową,
Gdy do szyby przylgnąć głową,
Widać wielką pajęczynę.
Pająk wątłą swą tkaninę
Utkał z nudów i z nawyku
Dnia pewnego, w październiku.

Szelmostwa lisa Witalisa

I

Znano różne w świecie lisy:
Był więc lis Ancymon Łysy;
Pospolity lisek rudy,
Pełen sprytu i obłudy;
Lis niebieski – wielki sknera;
Zezowaty lis przechera;
Czarny lisek ogoniasty;
Lis Patrycy jedenasty;
Srebrny lis niezwykle szczwany;
Lis Mikita spod Oszmiany;
Lis Telesfor farbowany,
Niebezpieczny i zawzięty;
Lis Wincenty; lis Walenty;
Lecz nie było w świecie lisa
Ponad lisa Witalisa.

Miał Witalis taki ogon,
Że nie było wprost nikogo,
Kto nie stanąłby zdumiony:
Taki ogon nad ogony!
I falisty, i puszysty,
I niezwykle zamaszysty,
I ruchliwy, na kształt kity –
Niezrównany, znakomity!

13\10
OG. CZRN.
754.
A. ŁYSY
123.
PRZ. ZEZ.

Gdy Witalis kroczył drogą,
Wpierw widziano jego ogon,
Co jak ruda chmura zwisa,
A dopiero potem – lisa.

Gdy się lis pogrążył we śnie,
Dziesięć ptaków jednocześnie
W tym ogonie wiło gniazda,
Niosło jajka, potem – jazda!
Lis się budził niespodzianie
I jadł ptaszki na śniadanie.

Gdy Witalis przed wieczorem
Kucnął sobie nad jeziorem
I potrząsnął swym ogonem,
Wszystkie rybki zachwycone
Wypływały bardzo prędko
Za ogonem jak za wędką:
Lis je w sosie wyśmienitym
Jadł na obiad z apetytem.

Był Witalis maści rudej,
Niezbyt gruby, niezbyt chudy,
Miał na prawym oku bielmo
I był szelmą. Strasznym szelmą!
Miał rozumu za dziesięciu,
Toteż w każdym przedsięwzięciu
Wprawiał w podziw swoim sprytem,
Wyrobieniem znakomitym,
Orientacją doskonałą
I dowcipem, jakich mało,

A miał w sobie tyle dumy,
Jakby wszystkie zjadł rozumy.

II

Jest na wschodzie miasto Łomża.
Gdy na wschód się dalej zdąża,
Las wyrasta na bezkresie,
Ciemny wąwóz jest w tym lesie,
W tym wąwozie lis miał jamę,
A w tej jamie – dziwy same.
Więc lusterko posrebrzane,
Które z tego było znane,
Że gdy czyhał ktoś na lisa,
Powstawała na nim rysa.
Prócz lusterka miał pudełko,
Dokąd zajrzeć mógł przez szkiełko,
By ustalić w sposób łatwy,
Gdzie zimują kuropatwy
Lub na skraju jakiej łączki
Zabawiają się zajączki.

Miał prócz tego srebrną misę
Z ozdobami i z napisem:
„Misa lisa Witalisa".
Zawsze pełna była misa
I z niej nic nie ubywało,
Choć Witalis jadł niemało.
Miał ponadto złoty grzebień,
Bowiem bardzo dbał o siebie

LW

I grzebieniem tym starannie
Czesał ogon nieustannie,
Rozczesywał raz i wtóry,
Z góry na dół i do góry,
I raz jeszcze, i na nowo
Rozczesywał – daję słowo!

Był Witalis rodem z Polski,
Lecz kapelusz miał tyrolski,
W którym było mu do twarzy,
Choć wyglądał nieco starzej.

III

Raz posłyszał, że niedźwiedzie
Są w tym roku w wielkiej biedzie,
Więc nie tracąc chwili czasu,
Żwawo udał się do lasu.
Przyszedł grzeczny, miły, gładki:
„Cóż, robaczki? Cóż, niedźwiadki?
Krucho z wami? Chodzą gadki,
Że bezmięsne już obiadki
Jeść musicie? Ziółka, kwiatki,
Trawki, listki i sałatki?
Chodzą gadki, że za miedzą
Dwa zajączki małe siedzą,
Które was za chwilę zjedzą!
Wstyd mi za was! Gdy posucha,
Niedźwiedź tylko w łapy dmucha.
Gdzie popatrzeć – chuderlaki.

Przykry mi jest widok taki!
Fe! Doprawdy nie wypada,
Lepiej, gdy potrzebna rada,
Przyjść po radę do sąsiada".

Zawstydziły się niedźwiedzie:
„Źle się nam ostatnio wiedzie,
Poradź, poradź nam, sąsiedzie,
Powiedz, lisie Witalisie,
Jakie jest twe widzimisię?".

Lis przyczesał sobie ogon
I powiedział z miną srogą:
„Chodźcie za mną! Znam zagrodę,
W której są prosięta młode,
Jest was pięciu i dla pięciu
Będzie dzisiaj po prosięciu!".

Ucieszyły się niedźwiedzie:
„Prowadź, prowadź nas, sąsiedzie!".
Poszli razem leśną drogą,
Więc Witalis prężąc ogon,
Uroczyście szedł na przedzie,
A za lisem w ślad – niedźwiedzie.
Cztery stare, jeden młody.

Przyszli nocą do zagrody,
Lis obejrzał parkan, chatkę
I pociągnął za kołatkę.
„Któż to straszy dzieci nocą?
Kto przychodzi tu i po co?"

„To Witalis – lis odrzecze –
Proszę, otwórz mi, człowiecze,
Z chlewu zabrać chcę prosiaki,
Bo mam dziś apetyt taki".

Po tych słowach lis dał nurka,
A tymczasem od podwórka
Psów zjawiła się gromada.
Każdy szczeka i ujada,
Każdy groźnie zęby szczerzy,
Każdy gryzie, gdzie należy.
Aż niedźwiedzie, pełne trwogi,
Powiedziały sobie: „W nogi!
Ratuj, lisie Witalisie!".

Ale psom aż w ślepiach skrzy się
I popadły w ferwor taki,
Że fruwały tylko kłaki.

Lis tymczasem sunął boczkiem,
Wbiegł przez furtkę drobnym kroczkiem,
Po szelmowsku mrugnął oczkiem,
Wszedł ostrożnie do kurnika,
Porwał kaczkę, gęś, indyka,
Trzy kurczaki i perliczkę,
Związał wszystko to rzemyczkiem
I nie tracąc chwili czasu,
Pobiegł z łupem swym do lasu.

A niedźwiedzie nieszczęśliwe,
Pogryzione, na wpół żywe,

Kulejące, głodne, chore,
Odszukały lisią norę.

„Przydybaliśmy cię, rybko,
Dosyć żartów! Wyłaź szybko,
Wyłaź, lisie Witalisie!”

Lis Witalis już po rysie
Na lusterku poznał snadnie,
Że nań gniew niedźwiedzi spadnie.

Widząc, że mu coś zagraża,
Lis ukazał się w bandażach,
W plastrach, w szmatach i w gałganach:
„Spójrzcie, cały jestem w ranach,
Ogon strasznie mam zwichnięty,
Pokąsane wszystkie pięty,
Narażałem własne życie,
By was bronić należycie.
Wojna była nie na żarty,
Psy walczyły jak lamparty,
W sposób groźny i zażarty,
Lecz wyjawić mogę skromnie,
Że daleko im jest do mnie:
Gdym wyskoczył zza chałupy,
Padły pierwsze cztery trupy,
Jeden pies już po minucie
W przerażeniu wielkim uciekł,
Drugi chciał go wziąć w obronę,
Więc zabiłem go ogonem.
Cztery dalsze poranione

Położyły się pod płotem
I skonały wkrótce potem,
A jedynie niedobitki
Was napadły w sposób brzydki.
Cóż, dostaliście po skórze,
A dlaczego? Boście tchórze!”.

Zawstydziło to niedźwiedzi,
Brak im było odpowiedzi,
Więc nie żaląc się nikomu,
Poszły głodne spać do domu.
„Żegnaj, lisie Witalisie!”
Spać lisowi ani śni się,
Do swej jamy szybko wrócił,
Zdjął bandaże, plastry zrzucił,
Zerknął w lustro z miną błogą
I przyczesał rudy ogon.
Potem przyniósł chrustu wiązkę,
Żeby upiec sobie gąskę.
Gąska była taka wściekła,
Że na ogniu raka spiekła,
Lecz z natury była miła,
Więc się pięknie zrumieniła
I Witalis porcję tłustą
Zjadł z jabłkami i kapustą.

IV

W czas zimowej chłodnej pory
Wyszedł lis ze swojej nory:

„Do mnie, wszystkie głodomory,
Do mnie z lasów, z kniei, z chaszczy,
Mam ja coś dla każdej paszczy!
Kto nie dojadł, ten się naje,
Znam zwierzęce obyczaje,
Znam zwierzęce apetyty
I mam pomysł znakomity,
Żeby każdy z was był syty".

Zewsząd zbiegły się zwierzęta,
Bo dla zwierząt to przynęta,
Pokąd iskra życia tli się.
„Gadaj, lisie Witalisie,
Przybywamy całą zgrają,
Bo nam kiszki marsza grają,
Opowiadaj, lisie, ściśle,
O niezwykłym swym pomyśle!"

Lis tych słów uważnie słuchał,
Po czym rzekł, zdejmując z ucha
Swój kapelusz zawadiacki:
„Umiem piec ze śniegu placki,
Mam do tego obok, w lasku,
Piec własnego wynalazku.
Kto dostarczy kupę śniegu
I dorzuci mi do tego
Połeć sadła lub słoniny,
Ten w niespełna pół godziny
Prosto z pieca na śniadanie
Placków tłustych niesłychanie
Pełny taki wór dostanie".

Mówiąc to, potrząsnął worem,
Że aż z wora nad otworem
Buchnął, mile łechcąc w chrapach,
Pieczonego ciasta zapach.
Zaś Witalis prawił dalej:

„Mnie bynajmniej się nie pali,
Takie placki stałe jadam,
Ale sobie trud ten zadam,
By wyżywić was do wiosny,
Bo wasz wygląd jest żałosny.
Co za placki! Szkoda gadać!
Mógłbym tydzień opowiadać
O ich cudnym aromacie,
O ich smaku! Otóż macie".

Z tymi słowy wyjął z wora
Placków tuzin czy półtora
I sam zjadł je z apetytem,
Pomlaskując sobie przy tym.

Po szelmowskim tym popisie
Padły głosy: „Witalisie,
Co się zjadło, to przepadło,
Dostarczymy śnieg i sadło,
Uczta będzie wyśmienita,
Chcemy najeść się do syta,
Chcemy placki mieć – i kwita!".

Lis przyczesał sobie ogon:
„Placki jutro być już mogą".

Więc nazajutrz bardzo wcześnie,
Gdy las tonął jeszcze we śnie,
Tłumy zwierząt szły w szeregu,
Wlokąc całe góry śniegu,
A do tego jeszcze sadło –
Tyle, ile go przypadło.

Lis już stał przed swoją norą,
Spojrzał: owszem, sadła sporo!
Pełen werwy i ochoty
Wziął się zaraz do roboty;
Zdjął kapelusz, duchem skoczył,
Z pięćset śnieżnych kul utoczył,
Każdą spłaszczył szybkim ruchem,
Tak jak robi się z racuchem,
Schwycił sadło i rzetelnie
Wysmarował nim patelnię,
I choć to jest rzecz kobieca,
Placki wkładać jął do pieca.
Z pieca wnet buchnęła para,
A Witalis już się stara,
Już dorzuca nowe placki,
Taki z niego kucharz chwacki.

Przyglądają się zwierzęta,
Pilnie chodzą mu po piętach,
Wprost doczekać się nie mogą,
A Witalis pręży ogon,
Zda się, wącha cudny zapach,
Aż zwierzętom kręci w chrapach,
Aż zwierzętom skręca kiszki,

A Witalis zbiera szyszki
I do ognia je dorzuca,
Krąży, krząta się, przykuca.
„Sadła jeszcze! Sadła! Prędzej!
No, bo placki wam uwędzę!"

Po upływie pół godziny
Niewyraźne strojąc miny,
Z pieca wyjął lis patelnię
I do zwierząt rzekł bezczelnie:
„A to dziwna jest przygoda,
Proszę, spójrzcie, sama woda!
Z takim śniegiem trudu szkoda!
Rozpuszczony, mokry, sypki,
Mogłyby w nim pływać rybki,
A mówiłem, że to nie to!
Śnieg powinien być jak beton,
Zamarznięty i w kawałkach.
Taki właśnie jest w Suwałkach,
W Augustowie, w Ostrołęce,
A to co? Umywam ręce!
Poszło całe wasze sadło,
Tyle pracy mej przepadło,
Nie nabiorę się powtórnie,
Mam was dosyć, boście durnie!".

Zawstydziły się zwierzęta.
Racja! Nikt z nich nie pamiętał,
Że przed samym świtem jeszcze
Padał śnieg zmieszany z deszczem,
A śnieg z deszczem jest wodnisty,

CHEZ
VITALIS

Fakt dla wszystkich oczywisty.
Na nic całe przedsięwzięcie.
Lis wykręcił się na pięcie,
Spuścił ogon na znak smutku
I do nory powolutku
Poszedł, by się zamknąć w norze,
Bo był w bardzo złym humorze.

Lecz gdy już odeszli goście,
Wtedy z pieca jak najprościej
Wyjął sadło, włożył w garnki,
Garnki schował do spiżarki,
Po czym, dumny z tego zysku,
Krzyknął: „Brawo, Witalisku!".

V

Jak co rok, w Zielone Święta
Zgromadziły się zwierzęta
Dla obioru prezydenta.
Jest to taka ważna sprawa,
Że zwierzęce wszystkie prawa
Dzień ten czynią dniem przymierza:
Zwierz na zwierza nie uderza,
Gęś jest pewna swego pierza,
Pies nie czai się na jeża,
Owca może wyjść ze stada,
Nikt nikogo nie napada,
Kot nie drapie, wilk nie zjada,
Nawet zając, choć ma pietra,

Z odległości kilometra
Obserwuje te wybory,
Nawet mysz wychodzi z nory,
Nawet tchórz ze strachu chory
Na wybory śpieszy żwawo,
Bo mu wolno. Bo ma prawo.

Lis Witalis, wielki szelma,
Łypie białkiem swego bielma,
Pręży ogon znakomity,
Zwisający na kształt kity,
I w tyrolskim kapeluszu
Krąży pełen animuszu.

Tu do wilka się przymili
I coś szepnie, tam po chwili
Do niedźwiedzia chyłkiem sunie,
Jakieś słówko rzuci kunie,
Chytrze mrugnie do jelenia,
Jeża muśnie od niechcenia,
Mysz ogonem połaskocze,
Mimochodem Bóg wie o czym
Porozmawia chwilkę z rysiem.
„Świetnie, lisie Witalisie!"

Wszyscy myślą: „A to szelma,
Jakiś w tym, widocznie, cel ma".

Już najstarszy wilk buławą
Machnął w lewo, machnął w prawo,
Takie jest zwierzęce prawo.

Już wybory rozpoczęte –
Któż ma zostać prezydentem?

Lis spryciarzem był bezsprzecznie,
Więc o głos poprosił grzecznie,
Wszedł na pień i w słowach kilku
Tak powiedział:

„Zacny wilku
I wy, wszyscy tu zebrani,
Tak przeze mnie szanowani,
Albo mówiąc wprost – zwierzęta,
Macie wybrać prezydenta.
Czyż jest ktoś, kto nie pamięta
Zasług lisa Witalisa?
W pięciu tomach ich nie spisać!
Otóż ja, przed wielu laty,
Gdym był młody i bogaty,
W ciągu jednej tylko wiosny
Zasadziłem tutaj sosny.
Buki, dęby – niemal wszystko,
By zwierzętom dać schronisko!
Dla was szereg lat z zapałem
Drób w kurnikach hodowałem,
Dla was w chlewie tuczę wieprze,
Byście mieli życie lepsze,
Jestem waszym dobrodziejem,
A sam nie śpię, a sam nie jem,
Tylko myślę dniem i nocą,
Jak zwierzętom przyjść z pomocą…".

Mruknął niedźwiedź do sąsiada:
„Co tu gadać – dobrze gada!".
Szepnął borsuk: „Jaka swada,
Jaka dykcja i wymowa,
To, przynajmniej, tęga głowa!".
A tymczasem lis po chwili
Ciągnął dalej: „Moi mili,
Nie namawiam, ale radzę:
Jeśli dziś otrzymam władzę,
Daję słowo, że zasadzę
W ciągu pięciu dni na piasku
Drzewa mego wynalazku.

Już nie szyszki, nie żołędzie,
Ale rosnąć na nich będzie
Schab surowy i pieczony,
Boczki, szynki, salcesony,
Mortadela i serdelki,
Mięs przeróżnych wybór wielki,
Nawet prosię w galarecie,
Jeśli tylko zapragniecie".

Wszystkim oczy aż zabłysły:
„Lis niezgorsze ma pomysły,
Niech zostanie prezydentem!".
„Czy przyjęte?" „Tak! Przyjęte!"
Niedźwiedź objął go za szyję
I zawołał: „Niech nam żyje!".
„Żyj nam, lisie Witalisie!" –
Powtórzyły za nim rysie,

Kuny, tchórze i jelenie
Oraz całe zgromadzenie.

Po wyborach zgodnie z prawem
Lis od wilka wziął buławę
I do domu cztery kozły
Z wielką pompą go zawiozły.
Kiedy jechał leśną drogą,
Wpierw widziano jego ogon,
Co jak ruda chmura zwisa,
A dopiero potem – lisa.

Już nazajutrz na polanie
Zaczął lis urzędowanie;
Kazał podać sobie korę,
Wziął do garści pióro spore
I ustawę za ustawą
Jął wydawać z wielką wprawą:

– Zarządzamy, by zwierzęta
Do użytku prezydenta
Oddawały, prócz okupu,
Czwartą część swojego łupu.

– Żeby każdy ptak od maja
Aż do maja wszystkie jaja
Niósł dla lisa Witalisa,
Który żółtka z nich wysysa.

– Żeby kury i kurczęta
Same szły do prezydenta

I prosiły go ostrożnie,
Aby upiekł je na rożnie.

Nie pamiętam już, niestety,
Jakie prawa i dekrety
Wydał jeszcze lis ponadto,
Lecz zwierzęcy cały świat to,
Pełen lęku i poddania,
Wykonywał bez szemrania.

Upływały dni, tygodnie,
Lis Witalis żył wygodnie,
Łupił wszystkich, jak się dało,
I korzyści miał niemało.

Przed siedzibą jego zawsze
Dwa niedźwiedzie co najżwawsze
Stały sprawnie i wzorowo,
Pełniąc wartę honorową.

Stały też jelenie cztery,
By go wozić na spacery.

A wiewiórki przez dzień cały
Przy ogonie się krzątały
I chuchały, i dmuchały,
I bez przerwy go czesały.

Nikt spokoju nie miał w lesie:
Ten przyniesie, ten odniesie,
Ten usłuży, tamten poda,

Nawet borsuk wojewoda,
Choć to bardzo dumna sztuka,
Był u lisa za hajduka,
Więc złościło to borsuka.

Jadł Witalis za dwudziestu
I zwierzęta bez protestu
Napychały mu spiżarnię,
Chociaż same jadły marnie.
Nigdy nie chciał z nikim gadać
Ani nawet odpowiadać
Na pytania, na podania
I nie dawał posłuchania.
Siedział dumny niczym basza,
Jadł i mówił: „Sprawa wasza
Dobrze dbać o mój żołądek,
Taki musi być porządek.
Jam prezydent, czyli władza,
A jak komu nie dogadza,
Niech zabiera się i zmiata,
Jeśli nie chce wąchać bata!”.

VI

Gdy już wreszcie lisi nierząd
Klęską spadł na życie zwierząt,
Wilk cichaczem, bez hałasu,
Zwołał wielki wiec do lasu
I gdy wszyscy się zebrali,
Rzekł: „Nie może być tak dalej!

Czeka wszystkich nas zagłada,
A jest na to jedna rada:
Złapmy lisa lub zastrzelmy –
Dość już rządów tego szelmy,
Tego lisa Witalisa,
Który soki z nas wysysa!".

Padły głosy: „Racja! Brawo!".
„Lis Witalis gwałci prawo!"
„Zniszczył wszystkich nas ze szczętem!"
„Precz!" „Precz z takim prezydentem!"

I uchwalił wiec zwierzęcy,
Że nie ścierpi tego więcej,
Aby lis się tak panoszył,
Że ryś z nory go wypłoszy,
Po czym, gdy go schwycą straże,
Winowajcę wilk ukarze.

Lis tymczasem do lusterka
Niespokojnym okiem zerka.

Nagle widzi: co to? Rysa?
Strach obleciał Witalisa.

A tu rysa rośnie, rośnie,
Załamuje się ukośnie
I lusterko całe łamie.
A Witalis, siedząc w jamie,
Zimny pot ociera z czoła.
Sprawa jednak niewesoła!

Machnął raz czy dwa ogonem,
Po czym smutnie rzekł: „Skończone!
Co użyłem, to użyłem,
Dobrze jadłem, dobrze piłem,
Za to teraz czas mi w drogę.
Trudno. Zostać tu nie mogę!”.

Zapakował parę waliz
I chciał umknąć lis Witalis.

Zatrzymały go niedźwiedzie:
„Po co śpieszyć się, sąsiedzie?
Nie tak prędko, jeszcze chwilka,
Wstąpić musisz wpierw do wilka,
Wilk ma spraw do ciebie kilka”.

„Wilk zaprasza? Rzecz ciekawa!”

„Wilk cię wzywa w imię prawa”.

„Ani myślę! Nie chce mi się!”

„Mamy rozkaz, Witalisie,
Lepiej się nie stawiaj hardo,
Bo dostaniesz halabardą”.

Tu lisowi ścierpła skóra.
Widząc, że już nic nie wskóra,
Ciężko westchnął, spuścił ogon
I potulnie ruszył drogą.

Wilk nań czekał w cieniu buka;
Z prawej strony miał borsuka,
Z lewej dzika. Nieco dalej
Delegaci zwierząt stali.

Lis zatrzymał się w pół drogi,
Ale wilk, ogromnie srogi,
Ryknął: „Bliżej! Ruszaj mi się!
Kara cię nie minie, lisie!
Brać go!”.

Wzięły go dwa rysie,
Ten za nogi, ów za głowę;
Wilk zawołał więc: „Gotowe!”.
Wtedy wyszły dwie łasiczki;
Miała każda z nich nożyczki.
Pochwyciły ogon lisa,
Co jak ruda chmura zwisał,
I do pracy się zabrały:
Cięły, strzygły, przystrzygały,
Odrzucały rude pęki,
Podcinały puszek miękki
Szybko, zwinnie, lecz ostrożnie.
A lis wił się jak na rożnie,
Jęczał, szlochał zrozpaczony:
„Taki ogon nad ogony
Ostrzyc… zniszczyć! O, zbrodniarze!
Jakże teraz się pokażę?
Jak pokażę się z ogonem
Tak nikczemnie ostrzyżonym?!”.

Rzeczywiście. Ogon lisa
Zwisał jak pałeczka łysa,
A wiatr rudy puch rozwiewał
I unosił ponad drzewa.
Wypuściły lisa rysie,
A wilk ryknął: „Wynoś mi się,
Zmiataj, lisie Witalisie!”.

Lis uciekał, gdzie pieprz rośnie.
Raz zatrzymał się przy sośnie
I usłyszał zawstydzony,
Jak się z niego śmiały wrony,
Kuny, susły, nawet jeże –
Każdy ptak i każde zwierzę:

„Taki ogon zamiast tyczki
Mógłby być dla ogrodniczki!”.

„Toż to sęk, nie żaden ogon!”

„Śmieszny widok, swoją drogą!”

„To ci ogon nad ogony!...”

Lis Witalis, ośmieszony,
Wyszydzony, uciekł z lasu
I już nikt od tego czasu
Nie oglądał Witalisa –
Nawet ja, com go opisał.

Za króla Jelonka

Był sobie pień, a w pniu siekiera…

Drwal na wyręby się wybiera
I do swojej żony tak powiada:
„Z robactwem kłopot mam nie lada,
Prusaki w kuchni, w szafach mole,
Muchy aż roją się w rosole,
Komary spać nie dają przy tym,
Trzeba to raz wytępić flitem.
Niech zaraz Stefek i Janeczka
Po flit pojadą do miasteczka
I do porządków się zabierzcie,
Żeby z tą plagą skończyć wreszcie".

To rzekłszy, drwal nie tracąc czasu,
Z siekierą udał się do lasu,
A ja was bajką tą zabawię,
Bo dobrze wiem, co piszczy w trawie.
Co w trawie piszczy? To owady,
Wchodzące w skład królewskiej rady,
Śpieszą na tajne posiedzenie.

Król niecierpliwi się szalenie,
Bo jak doniosły mu stonogi,
Drwal powziął właśnie zamiar srogi –
Owady tępić co do nogi.

Sprowadził tedy papier lepki,
Perskiego proszku dwie torebki,
Stos muchołapek, flaszkę flitu
I bój rozpoczął już od świtu.

Siedzi na tronie król Jelonek
I w otoczeniu stu biedronek
Sprawuje rządy. Z miną hardą
Straż pełni krzyżak z halabardą,
Tłum dworzan kornie chyli głowy,
A trzmieli szwadron honorowy
Stoi przy królu na polance
I prezentuje przed nim lance.

Król słucha pełen niepokoju
Ostatnich wieści z placu boju.
Marszałek Bąk z wysiłku sapie,
Gestykuluje i na mapie
Objaśnia przebieg całej wojny.
Generał Żuk jest niespokojny
I tylko czeka na rozkazy.
Król słuchał, ziewnął parę razy,
Szerszeniom kazał grać pobudkę
I tak przemówił z wielkim smutkiem:

„My, z bożej łaski król owadów,
Jelonek Szósty, władca sadów,
Ogrodów, łąk i pól, i lasów,
Największy rycerz wszystkich czasów,
Tak, jak to każe zwyczaj stary,
Wzywamy wojsko pod sztandary.
Wojna na dobre się rozpala.

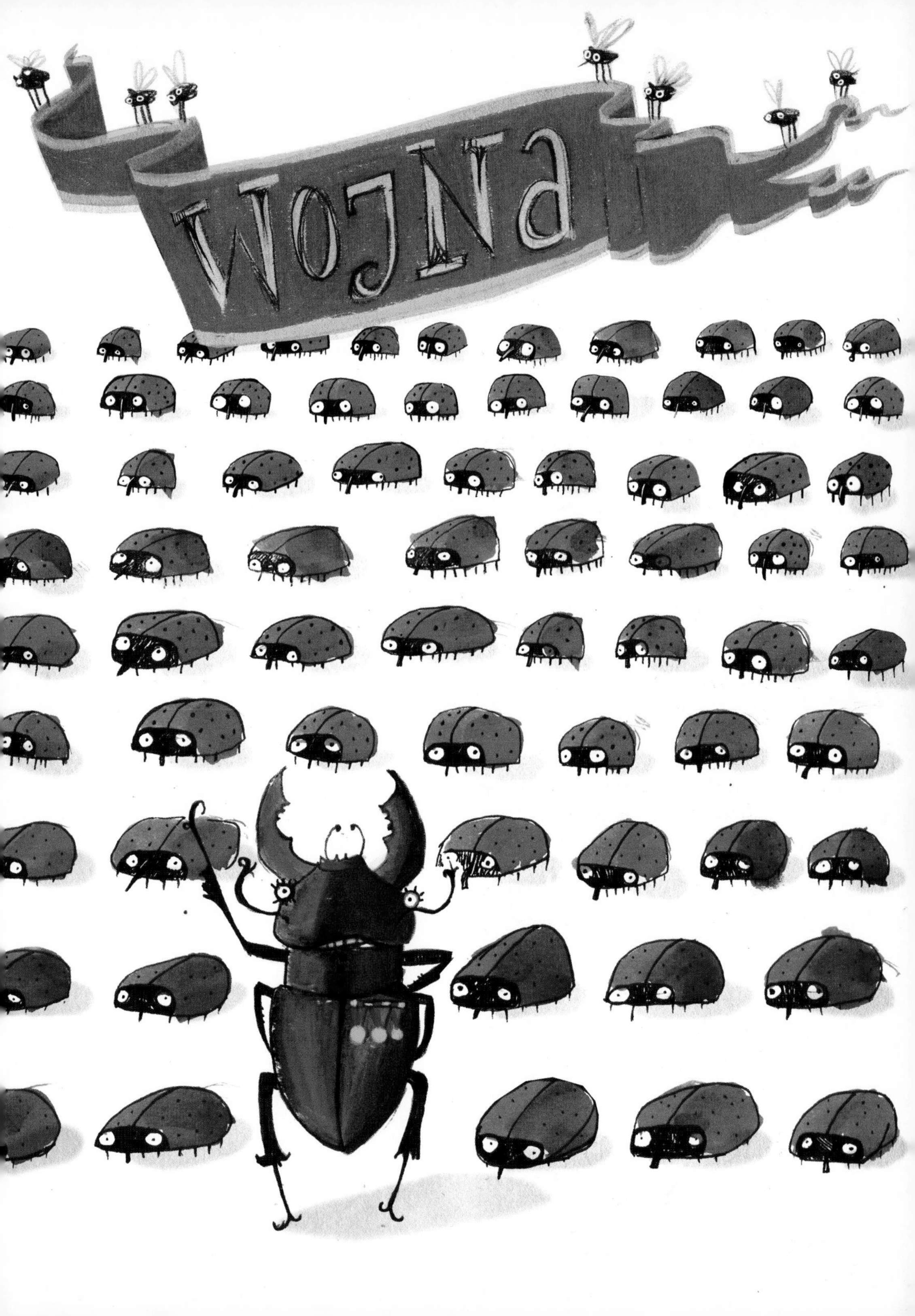
WOJNA

Nadeszła wieść, że w domu drwala
Już się szykują do ataku
Na ród owadów i robaków.
Jeżeli wierzyć mamy słuchom,
Zagłada straszna grozi muchom,
Prusakom, pchłom i karaluchom.
To samo czeka ćmy i mole.
A ja was tępić nie pozwolę.
Niech armia zaraz rusza w pole!
Marszałkiem polnym oraz wodzem
Zostanie Bąk, waleczny srodze,
Marszałkiem leśnym Chrabąszcz będzie
I niechaj świerszcze to orędzie
Co tchu otrąbią wszem i wszędzie".

Marszałek Bąk z buławą w dłoni
Odbywa przegląd wszystkich broni.
Lotnictwo stoi już na łące:
Komarów lekkich trzy tysiące,
Następnie osy pikujące,
Eskadra chrząszczy transportowych
I oddział pcheł spadochronowych.
Koniki polne w polu stoją,
Kawaleryjską błyszcząc zbroją,
Z daleka dzwonią ich ostrogi.
Obok zebrały się stonogi
Uszykowane w pułk piechoty,
A dalej stoją dzielne roty
Pancernych trzmieli, much, prusaków
I karaluchów zabijaków.
Wymienić tu należy jeszcze

Torpedy żywe, czyli kleszcze,
Motyli pułk niezwykle karny
I moli oddział sanitarny.

Marszałek Bąk dał znak buławą.
Generał Żuk z niezwykłą wprawą
Prowadzi mężne swe oddziały.
Już bębny werblem zawarczały,
Zagrały trąbki i fanfary,
Zakołysały się sztandary,
Zadudnił równy marsz piechoty,
Poszybowały samoloty,
Zasalutował król im wszystkim
I otarł łzę dębowym listkiem.

Gdy słońce znikło z horyzontu,
Owady przeszły linię frontu.
Na zwiady najpierw poszły świerszcze
I rozstawiły czujki pierwsze.
Za nimi cicho, po kryjomu
Prusaki wdarły się do domu,
A cztery muchy i stonoga
Wyśledzić chcą pozycje wroga.
Są przy tym bardzo im pomocne
Mechate ćmy – myśliwce nocne,
Bo tłumiąc warkot swych motorów,
Spuszczają oddział reflektorów,
Czyli robaczków świętojańskich.
Z daleka odgłos trąb ułańskich
Konnicę wzywa na biwaki,
Lecz spać nie wolno. Rozkaz taki.

A nieprzyjaciel śpi spokojnie,
Jakby nie wiedział nic o wojnie.
Spod kołder sterczą cztery nosy
I chrapią, śpiąc, na cztery głosy.

Generał Żuk dowódców wzywa:
„Zaraz się zacznie ofensywa.
Niech karaluchy idą karnie
Szturmować kredens i spiżarnię,
Dwudziesty trzeci pułk prusaków
Za nimi pójdzie do ataku,
A na piwnicę, jak należy,
Dywizja stonóg niech uderzy.
Musimy zniszczyć bez litości
Zapasy jadła i żywności".

Oficerowie w cnym zapale
Krzyknęli: „Rozkaz, generale!"
I wnet, ogromne dając susy,
Ruszyły pułki i korpusy,
Szły stutysięczne roty zuchów
I lśniły wąsy karaluchów.
Od strony łąki, od moczarów
Z bzykaniem leci pułk komarów.
Wróg jedno oko ma otwarte,
Przy oknie pająk pełni wartę.
Przez okno prosto do pokoju
Komary lecą na plac boju,
Drwalowi krążą ponad głową
I rażą bronią pokładową.

Spod kołdry sterczy czyjaś noga,
Komary w nogę kłują wroga,
Tną bez pardonu w usta, w uszy
I tylko nosów nikt nie ruszy –
Do tego inna broń się nada,
Którą najlepiej osa włada.
Eskadra os przez okno wpada
I na komendę cztery osy
Wbijają żądła w cztery nosy.

Wróg się na równe nogi zrywa,
Zacznie się wnet kontrofensywa.
Drwal porwał ręcznik i wywija,
Komary tłucze i zabija,
A dzieci drwala biegną boso
I uganiają się za osą.
Drwal os bynajmniej nie unika,
Tylko je łapie do słoika.
„Jesteście podłe i okrutne,
Więc wam siekierą żądła utnę".

Jak tu ratować biedne osy?
Widząc, że ważą się ich losy,
Biedronka wzbija się wysoko
I wpada wprost drwalowi w oko.
Drwal z bólu krzyknął wniebogłosy
I powypuszczał wszystkie osy,
Które, cudownie ocalone,
Poszybowały w inną stronę.

Za dzielny wyczyn ten biedronka
Dostała z rąk marszałka Bąka
Order Jelonka trzeciej klasy
I srebrny grosz z królewskiej kasy.

Marszałek, śledząc walkę z lotu,
Wezwał owady do odwrotu
I korzystając z chwili przerwy,
Zaczął gromadzić swe rezerwy.

Drwal po pokoju chodzi blady,
Robi kompresy i okłady,
Smaruje nosy opuchnięte.
A nosy puchną jak najęte.
Drwal po pokoju chodzi senny
I w myślach snuje plan wojenny:
„Ja wam pokażę. Zobaczycie.
Porachujemy się o świcie".

Tymczasem lotny szpital moli
Do rannych bierze się powoli:
Sanitariuszki – małe muszki
Komarom bandażują nóżki,
Ostrożnie kładą je na nosze.
Na skrzydła sypią biały proszek,
Jodyną guzy im smarują
I woskiem żądła polerują.

Choć rankiem nęka chłód jesieni,
Generałowie wyświeżeni
Do wodza lecą po rozkazy.

Marszałek polny – wódz bez skazy
Już czeka rześki i wesoły
I miód popija, który pszczoły
Przygotowały mu na bębnie,
Gdyż Bąk o świcie zwykle ziębnie.

Sztab się naradzał minut kilka
I nie minęła nawet chwilka,
A już sztabowy dobosz bieży,
Cwałują gońcy i kurierzy,
Już skaczą pchły na spadochronach,
Już muchy w karnych dywizjonach
Lądują sprawnie i po cichu
Na południowy wschód od strychu.

W mieszkaniu drwala ruch niezwykły:
Otwarto okna, z domu znikły
Obrazy, szafy i komody,
A żona drwala, z kubłem wody
Stąpając śmiało między wrogi,
Szoruje ściany i podłogi.
Janeczka porządkuje kuchnię,
Raz po raz w kąty flitem dmuchnie,
A Stefek – chłopiec bohaterski
Do łóżek sypie proszek perski.
Jest także środek i na mole,
Jest i na muchy. Już na stole
Stefanek stoi z bańką flitu,
Przytwierdza lepy do sufitu,
Zalewa szpary żrącym płynem
I rozsypuje naftalinę.

Marszałek Bąk na bębnie siadłszy,
Przez szkła lunety pilnie patrzy
I ruchy wroga obserwuje:
Flitowe wojsko maszeruje
Z karabinami, w wielkich czapkach,
Ustawia straż przy muchołapkach,
Wystawia warty i patrole,
Po czym odważnie rusza w pole.
Żołnierze idą na bagnety
Pełni zapału i podniety,
Zadają wrogom straszne ciosy,
Godzą w komary, w muchy, w osy.
Widać poległych całe stosy.
Marszałek daje znak buławą,
W bój każe muchom lecieć żwawo,
Rzuca rezerwę za rezerwą:
„Niech tylko frontu nam nie przerwą!".

Muchy ruszyły wielką chmarą,
Aż się zrobiło wokół szaro,
Z bojowym brzękiem biją, walą,
Fala przewala się za falą.
Jaka fantazja i brawura,
Jaka odwaga! Naprzód! Hur-r-ra!
Już much są pełne muchołapki,
Na lepach drgają musze łapki,
Musze skrzydełka się trzepocą –
Walka nie skończy się przed nocą!

Marszałek Chrabąszcz czeka znaku,
By rzucić jazdę do ataku.

FLIT

Koniki polne są jak w pląsie,
Nie mogą ustać, naprzód rwą się,
Pchły na nich zręcznie siedzą wierzchem,
Chciałyby ruszyć w bój przed zmierzchem.
Ruszyły! Pędzą! Błyszczą piki,
W galopie świszczą proporczyki
I w ślad za wrogiem wystraszonym
Cwałuje szwadron za szwadronem.
Kto widział pchły w tej świetnej szarży,
Gdy jeździec nie drgnie, koń nie zarży,
Ten pcheł już o nic nie oskarży.

Tymczasem drwal wziął nogi za pas
I przyniósł flitu nowy zapas.
Marszałka Bąka żądło łechce,
Marszałek Bąk próżnować nie chce,
Więc krzyknął tylko: „Za mną, wiara,
Spójrzcie, jak walczy gwardia stara!".
Rozpostarł skrzydła swe jak żagle,
W sam środek walki runął nagle
I cel upatrzył sobie z dala,
I wbił swe żądło w szyję drwala.
Drwal z bólu fiknął trzy koziołki,
Przeskoczył potem przez trzy stołki,
Z żałosnym jękiem skrył się w drwalce
I nie brał już udziału w walce.

Owady wodza otoczyły:
„Sto lat niech żyje wódz nasz miły!".
I podrzucały go do góry,
Aż poobijał się o chmury.

Po nadzwyczajnym tym sukcesie
Odpocząć wojsko mogło w lesie,
Więc zaśpiewało pieśń wojenną,
Dla wodza żywiąc cześć niezmienną:

Śmiało w bój,
Bzyk-bzyk
Gryź i kłuj,
Bzyk-bzyk
Trąbka gra,
Bzyk-bzyk
Tra-ra-ra,
Bzyk-bzyk.

Wroga dręcz,
Bzyk-bzyk
Leć i brzęcz,
Bzyk-bzyk
Trąbka gra,
Bzyk-bzyk
Tra-ra-ra,
Bzyk-bzyk.

I znowu krzyknął ktoś z kaprali:
„W górę marszałka!". Więc porwali
I podrzucali go bez końca
W gasnących już promieniach słońca.

Po ciężkim dniu żołnierze drzemią.
Lecz nikt nie zdrzemnie się pod ziemią.

Pracują mrówki – dzielne chwaty,
Grzmią ich wytwórnie i warsztaty
I rzec by można bez przesady,
Że to największe są zakłady.
Tam amunicja dla żołnierzy
W opancerzonych skrzyniach leży,
Tam dla walczących są prowianty,
Są kolorowe akselbanty,
Gazowe maski tkane z wosku –
I taką maskę ma na nosku
Owad, gdy walcząc idzie z flitem;
Tam warzą płyny jadowite
Dla żądeł bąków, os i trzmieli,
Tam rąbią puchy do pościeli,
Kojące maście do okładów
I nowe brzęczki do owadów.

O świcie walka znów zawrzała,
Znów nadleciała much nawała,
A flit wywietrzał. Flit nie działa.
Z muchami jeszcze jest pół biedy,
Lecz oto idą w bój torpedy:
Zanim się wróg obudził jeszcze,
Pod kołdry wlazły cztery kleszcze
I każdy sobie otwór naciął,
I drążą ciała nieprzyjaciół.

Wtedy wyruszył drwal do boju:
Z siekierą biega po pokoju,
Rąbie na lewo i na prawo

I oręż swój okrywa sławą.
Najstarszy człowiek nie pamięta,
By walka była tak zacięta.

Janeczce innych wrażeń chce się,
Więc poszła grzybów szukać w lesie.
„Jak się masz, smyku-borowiku,
Pozwól, że schowam cię w koszyku".
Opieńką także nie pogardza,
A smardz się trafi – zrywa smardza.
Pod mchem ukryte siedzą rydze –
Janeczka woła: „Kogo widzę?"
I do koszyka wszystkie chowa,
Bo smaczna zupa jest grzybowa.

Wtem patrzy: król Jelonek Szósty
Na tronie siedzi w dziupli pustej,
Przed sobą trzyma listek świeży
I pisze rozkaz do żołnierzy.
Janeczka o nic się nie pyta,
Tylko Jelonka w palce chwyta.
Struchlała straż, pobladła świta,
A król zupełnie się nie broni
I siada chętnie na jej dłoni.

„Jakiś ty śliczny, mój Jelonku,
Jak ładnie mienisz się na słonku,
Zaraz zabiorę cię do domu
I już nie oddam cię nikomu".

Widząc, że sprawa jest niebłaha,
Marszałek Bąk buławą macha.
Już nadlatuje rój szerszeni,
Co dłoń Janeczki w miazgę zmieni.

Lecz król Jelonek podniósł różki:
„Proszę zostawić te paluszki,
Niech żaden z was ich nie ukole,
Ja sam oddaję się w niewolę".

Po czym powiada do Janeczki:
„Już czas zakończyć nasze sprzeczki.
Nie chcemy wcale waszej szkody,
A nawet ważne mam powody,
Żeby namawiać was do zgody.
Po prostu zostań moją żoną,
Uznajmy wojnę za skończoną
I zamieszkamy sobie wspólnie
W dziupli, gdzie bardzo jest przytulnie".

Janeczka na to rzecze: „Królu,
Wcale ci nie chcę sprawiać bólu,
Lecz żeby godną być królową,
Trzeba mieć suknię koronkową,
Chodzi w jedwabiach i atłasach,
A tego nie ma w naszych lasach".

Zawezwał król marszałka Bąka:
„Natychmiast musi być koronka,
Sztuka jedwabiu i atłasu,
Ale to w mig, bo nie mam czasu!".

Janeczka była bardzo miła,
Króla z niewoli wypuściła,
Więc król poleciał do dąbrowy
Układać traktat pokojowy.

Już po zatargu. Już po wojnie.
Rodzina drwala śpi spokojnie
I tylko tysiąc dzielnych moli
W szafie Janeczki się mozoli.
Obsiadły nowe jej sukienki
I wygryzają deseń cienki:
Esy, floresy, ściegi, ścieżki,
Kółeczka, brzeżki i mereżki,
Różyczki, listki, piękne wianki
I delikatne wycinanki.
Na rano będą już gotowe
Prześliczne suknie koronkowe.

W tym samym czasie pilne mrówki
W mrowisku łamią sobie główki
Nad tym, jak utkać materiały,
By się Janeczce podobały.
Zrobiły wreszcie to najprościej:
Do jedwabników poszły w gości.
Kupiły od nich nitkę cienką,
Pająk posłużył za czółenko,
Pył barwny wzięły od motyli –
I warsztat ruszył już po chwili.
Czółenko miga, szpulki brzęczą,
Jedwab się mieni barwną tęczą,
A tak jest cienki, że zapewne

Każdą zachwyciłby królewnę.
Gdy swoją pracę skończą mrówki,
Zajadą żuki ciężarówki,
By król odebrać mógł zawczasu
Sztukę jedwabiu i atłasu.

Lecz w życiu nic się nie układa
Tak, jak się w bajkach opowiada.
Przyleciał nagle wiatr z północy,
Zimowy sen nadciągnął w nocy,
Pożółkły liście w chłodnym wietrze
I rtęć opadła w termometrze.
Kopytem konik już nie grzebie,
Kareta czeka – niepotrzebnie,
Król miał pojechać w swaty właśnie,
Lecz nie pojedzie ten, kto zaśnie.

Śpi król Jelonek w miękkim łóżku,
W futrzanej czapce i kożuszku,
Przy łóżku króla zasnął twardo
Wspaniały krzyżak z halabardą,
Ul się pogrążył cały we śnie,
Posnęły mrówki jednocześnie,
Usnęli obaj marszałkowie,
Owady wszystkie śpią w dąbrowie,
Posnęły roje much gromadnie
I drwal z rodziną śpi przykładnie.
Spod kołder sterczą cztery nosy
I chrapią, śpiąc, na cztery głosy,
A to, co było – to nie było,
Tylko Janeczce się przyśniło.

Trzy wesołe krasnoludki

I

Jest na świecie kraj malutki,
Gdzie mieszkają krasnoludki,
Mają domki z cienkiej słomki,
Z kominami jak poziomki.
Krasnoludek, gdy jest młody,
Wcale nie ma jeszcze brody,
Żadnych ważnych spraw nie miewa,
Tylko bawi się i śpiewa.

W tej bajeczce, moje dzieci,
Krasnoludków trzech znajdziecie:
Jeden chodzić zwykł w czerwieni,
Więc się też Poziomką mieni,
Drugi zowie się Modraczek,
Bo niebieski nosi fraczek,
No, a trzeci, wiecie, dzieci?
Ma Żółtaszka imię trzeci.
Z Chin pochodzi, skąd przed laty
Przybył w puszce od herbaty,
I jak chińskie krasnoludki
Nosi z tyłu warkocz krótki.

Na ślizgawkę raz w niedzielę
Poszli mali przyjaciele

PICKWICK
LAPSANG SOUCHONG
TEA

I na lodzie z łyżwy starej,
Co to właśnie brak jej pary,
Łódź żaglową zmajstrowali,
Chociaż byli tacy mali.
Wiatr był wolny przy niedzieli,
Więc go sobie wynajęli
Na godzinę za pięć groszy,
By koniki polne płoszyć.

II

Już niedługo, jak widzimy,
Minął okres chłodnej zimy;
Krasnoludki w dzień majowy
Idą poić swoje krowy,
Bo gdy krowy chce się doić,
Trzeba dobrze je napoić.

Wietrzyk, lecąc przez parowy,
Śmiał się głośno: „Też mi krowy,
Gdy chodziłem na majówki,
Widywałem boże krówki,
Lecz tych krówek, mili moi,
Nikt nie poi i nie doi".

No to odrzekł mu Poziomka:
„Niech pan tutaj się nie błąka,
Bo pan nie wie, jakie trzódki
Mają zwykle krasnoludki".

Beeee

Jednej z krów, nie wiedzieć czemu,
W stadzie nikt utrzymać nie mógł.
Pośród krów się czuła obco
I mówiła: „Jestem owcą".

No to rzekł Modraczek: „Zgoda,
Owcy też potrzebna woda.
A więc proszę, byś w spokoju
Z nami szła do wodopoju".

No to ona znów powiada:
„Ja nie jestem z tego stada
I pokażę taką sztukę,
Że się z owcy stanę żukiem".

I jak zwykle robią owce,
Poleciała na manowce.
Nie mógł złapać jej Modraczek,
Bo był pieszo – nieboraczek.

III

Przez wysoką trawę wonną
Najprzyjemniej jechać konno,
Zwłaszcza gdy do jazdy takiej
Można użyć trzy ślimaki.

Po jelonku dla Żółtaszka
Taki nowy koń – to fraszka,
Ale każdy o tym wie, że

Strzeżonego Pan Bóg strzeże.
Nasz Żółtaszek nie jest głupi,
Zrobił otwór więc w skorupie
I wygodnie, jak w karecie,
Jeździć może w niej po świecie.

Modraczkowi się nie wiedzie,
Na swym koniu wierzchem jedzie,
Ale koń mu figle płata,
Bo to widać akrobata.

Zaś Poziomce jest najgorzej:
Na dół, biedak, zejść nie może,
Jego ślimak, wielki śpioszek,
Aż na szczyt tymotki poszedł
I, skorupę mając własną,
Do skorupy wlazł i zasnął.

Uważajcie, moje dzieci,
Bo Poziomka na dół zleci!

IV

Po przejażdżce nieudanej
Chętnie szuka się odmiany,
Toteż małe nasze chwaty
Już się biorą do armaty.

„Z drogi, myszy, z drogi, ptaki,
Z drogi, pszczoły i ślimaki,

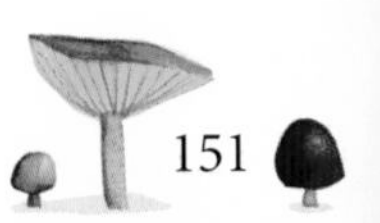

Muchomory, żaby, świerszcze –
Zaraz padną strzały pierwsze!”

Prażą dzielni bombardierzy,
Ten nabija, tamten mierzy,
Trzeci znów pociski niesie,
Kanonada brzmi po lesie.

Aż tu nagle, niespodzianie,
Jeż się zjawił na polanie
I natychmiast pocisk śmigły
Z trzaskiem wbił się w jego igły.
Chyba nikt z was dobrze nie wie,
Jak się jeż najeża w gniewie,
Jak straszliwie się zaperza –
Lepiej wtedy nie znać jeża!

Więc Poziomka tylko sapnął,
Nogi za pas wziął i drapnął,
Za nim puścił się Modraczek,
A Żółtaszek wlazł na krzaczek
I udaje spoza krzaczka,
Że to nie jest on, lecz kaczka.

Jeż, odchodząc, rzekł z przekąsem:
„A to nowość – kaczka z wąsem”.

V

Kto na jeża się zamierza,
Ten się później boi jeża.

Więc Poziomka rzekł nieśmiało:
„Po tym wszystkim, co się stało,
Na czas pewien zniknąć wolę,
Bo jeż chodzi zły i kole!".

Rzekł Modraczek do Żółtaszka:
„Może z nas tu zostać kaszka,
Jeż jest bardzo zły i srogi,
Więc mu lepiej zejdźmy z drogi".

Choć projektów było wiele,
Jednak mali przyjaciele
Pomyśleli wreszcie o tym,
Żeby czmychnąć samolotem.

Po godzinie był już gotów
Ten najnowszy z samolotów.
Motorami pszczoły były,
Pracowały z całej siły,
Bowiem każda miała z przodu
Przytwierdzoną szczyptę miodu.

Wszystko poszło znakomicie,
Aż tu nagle, jak widzicie,
Jeden motor w tył się cofa –
Będzie chyba katastrofa!

Drżą ze strachu krasnoludki,
Aż im trzęsą się podbródki.
Lecz na szczęście pewna ważka
Dosłyszała krzyk Żółtaszka.

Ważka motor ma o sile
Dwustu pszczół, a właśnie tyle
Trzeba mieć w aeroplanie,
Żeby odbyć lądowanie.

VI

Ma Żółtaszek pomysł nowy:
„Zrobię pocisk rakietowy
I dolecę do Księżyca,
Bo mnie taki lot zachwyca".

Krasnoludki lubią psoty,
Więc się wzięły do roboty,
Odnalazły kurze jajo
I już świetny pocisk mają.
Potem deskę z trudem wielkim
Ułożyły w poprzek belki
I wśród śmiechu, gwaru, pisku
Wsiadł Żółtaszek do pocisku.

Więcej dbać nie trzeba o nic:
Gdy na deski drugi koniec
Spadnie jabłko, wtedy, dzieci,
Pocisk w niebo wprost poleci.

Wlazł Modraczek na jabłonkę,
Do pomocy wziął Poziomkę,
Już piłują bardzo składnie,
Zaraz jabłko na dół spadnie.

Robak wyszedł z swego domku:
„Hej, Poziomko, miły ziomku,
Co robicie? Gwałtu! Rety!
Nic nie będzie z tej rakiety!".

Rzekł Poziomka do Modraczka:
„Kto by słuchał też robaczka!".
I zwyczajem krasnoludków
Piłowali aż do skutku.

Jabłko spadło więc z łoskotem,
Wiecie zaś, co było potem?
Modraczkowi guz wyskoczył,
Bo się razem z jabłkiem stoczył,
A Żółtaszek nieszczęśliwy
Już po chwili spadł w pokrzywy.

VII

Rzekł Żółtaszek: „Trudna rada,
Kto nie lata, ten nie spada,
Kto z powietrzem jest w niezgodzie,
Musi szukać szczęścia w wodzie;
Mam ja dla was łódź podwodną
I bezpieczną, i wygodną".

Krasnoludki rzekły: „Zgoda,
Niechaj teraz będzie woda,
Zamiast latać pod obłoki,
Popłyniemy w świat szeroki”.

Łodzią była pusta flaszka,
Pomógł przy tym spryt Żółtaszka,
Który zamknął ją od środka.
„Może znów się jeża spotka?”

Ach, jak pięknie, ach, jak ładnie
Jest w jeziorze leśnym na dnie,
Raki, muszle, a przez szybę
Widać nawet wielką rybę.

Do swych dzieci rzekła ryba:
„To są jakieś żabki chyba,
Jeszczem takich nie jadała,
Choć tu mieszkam rok bez mała!”.

Przyjaciele nie słyszeli
Słów, co padły z rybich skrzeli,
Zresztą szkło butelki grubej
Ocaliło ich od zguby.

Zatem podróż swoją dalej
Najspokojniej odbywali.
Co widzieli w tej podróży,
Tego pióro nie powtórzy!

VIII

„Kto z was w duszy jest rycerzem,
Niech czym prędzej lancę bierze,
Niech dosiędzie szybko konia,
Bym go nie miał za gamonia!
Hej! Wyzywam was na turniej
Po raz pierwszy i – powtórnie!"

Powiedziawszy to, Poziomka
Wspaniałego dosiadł bąka
I do walki dzielnie rusza,
Aż się wprost raduje dusza.
W przeciwnika lancą mierzy,
Patrzeć tylko, jak uderzy!

Marny więc był los Żółtaszka,
Gdyż spotkała go porażka
I wyleciał ponad drzewa,
Choć się tego nie spodziewał.
Szczęściem, opadł dosyć miękko,
Bo spadochron miał pod ręką.

Teraz kolej na Modraczka:
Ściągnął poły swego fraczka
I do walki wszelkiej skory,
Dosiadł mężnie swej sikory.
„Hej, Poziomko, dobrodzieju,
Nie zwyciężysz mnie w turnieju!"

Ale zanim to powiedział,
Już nie siedział tam, gdzie siedział,
Bowiem lanca go ubodła
I Modraczek wypadł z siodła.
Po zwycięstwie tak wspaniałym
Krasnoludki się zebrały
I Poziomce, dla parady,
Dały order z czekolady.

IX

Do zabawy znakomita
Bywa także stara płyta,
Lecz gdy nie ma patefonu,
Jak tu słuchać pięknych tonów?
Krasnoludki pomysłowe
Ciągle łamią sobie głowę,
Aż Poziomka rzecze serio:
„Jakoś będzie z maszynerią!".

Chrabąszcz brzęczał w leśnych gąszczach,
Wynajęli więc chrabąszcza,
Żeby płytę im obracał,
Bo to bardzo ciężka praca.
Już się kręci wreszcie płyta,
Ale igła tylko zgrzyta,
Już Modraczek wszedł do tuby,
Na nic jednak wszystkie próby.
Bo się z tuby jeno słyszy
Coś jak gdyby szelest myszy.

Zirytował się Żółtaszek,
Do chrabąszcza wpadł pod daszek,
Tam mu rózgą sprawił lanie:
„Popamiętasz takie granie!”.

Poszedł chrabąszcz zawstydzony
Kręcić inne patefony.

Przecież jednak jest muzyka,
Która gra bez mechanika.
Rzekli tedy trzej filuci:
„Niech się dzisiaj nikt nie smuci,
Zagra wam orkiestra nasza,
Która czeka i zaprasza”.

X

Nie wiedziały, co to smutki,
Trzy wesołe krasnoludki,
A tu jeszcze rozwesela
Niezrównana ich kapela.
Oto skrzypek rżnie od ucha,
Puzonista w trąbę dmucha,
Trzeci grajek w bęben wali,
Żeby wszyscy tańcowali!

Na ogromnym muchomorze
Gra kapela, tak jak może.
Krasnoludki tańczą żwawo
Naprzód w lewo, potem w prawo,

Pan Poziomka przytupuje,
Pan Modraczek mu wtóruje,
A Żółtaszek krąży w koło –
Jak wesoło, to wesoło.

Zatańczyły też komary
Nie do pary i do pary,
Bo gdy dobra jest muzyka,
Komar tańczy i nie bzyka.
W tany poszły kwiaty, liście,
Tańczą trawy posuwiście,
Cała łąka krąży w koło –
Jak wesoło, to wesoło.

Oto jest historia krótka
O wesołych krasnoludkach.
Kto by do nich chciał pójść w gości,
Niechaj zrobi to najprościej:
Niechaj weźmie hulajnogę
I odważnie rusza w drogę,
Naprzód w prawo, potem w lewo,
Tam gdzie stoi stare drzewo,
Potem wprost do zagajnika,
Zagajnikiem do strumyka,
A strumykiem powolutku
Aż do kraju krasnoludków.

Pan
Kleks

AKADEMIA
PANA KLEKS

Ta oraz inne bajki

Nazywam się Adam Niezgódka, mam dwanaście lat i już od pół roku jestem w Akademii pana Kleksa. W domu nic mi się nigdy nie udawało. Zawsze spóźniałem się do szkoły, nigdy nie zdążyłem odrobić lekcji i miałem gliniane ręce. Wszystko upuszczałem na podłogę i tłukłem, a szklanki i spodki na sam mój widok pękały i rozlatywały się w drobne kawałki, zanim jeszcze zdążyłem ich dotknąć. Nie znosiłem krupniku i marchewki, a właśnie codziennie dostawałem na obiad krupnik i marchewkę, bo to pożywne i zdrowe. Kiedy na domiar złego oblałem atramentem parę spodni, obrus i nowy kostium mamy, rodzice postanowili wysłać mnie na naukę i wychowanie do pana Kleksa. Akademia mieści się w samym końcu ulicy Czekoladowej i zajmuje duży trzypiętrowy gmach, zbudowany z kolorowych cegiełek. Na trzecim piętrze przechowywane są tajemnicze i nikomu nieznane sekrety pana Kleksa. Nikt nie ma prawa tam wchodzić, a gdyby nawet komuś zachciało się wejść, nie miałby którędy, bo schody doprowadzone są tylko do drugiego piętra i sam pan Kleks dostaje się do swoich sekretów przez komin. Na parterze mieszczą się sale szkolne, w których odbywają się lekcje, na pierwszym piętrze są sypialnie i wspólna jadalnia, wreszcie na drugim piętrze mieszka pan Kleks z Mateuszem, ale tylko w jednym pokoju, a wszystkie pozostałe są pozamykane na klucz.

Pan Kleks przyjmuje do swojej Akademii tylko tych chłopców, których imiona zaczynają się na literę A, bo – jak powiada – nie ma zamiaru zaśmiecać sobie głowy wszystkimi literami alfabetu. Dlatego też w Akademii jest czterech Adamów, pięciu Aleksandrów, trzech Andrzejów, trzech Alfredów, sześciu Antonich, jeden Artur, jeden Albert i jeden Anastazy, czyli ogółem dwudziestu czterech uczniów. Pan Kleks ma na imię Ambroży, a zatem tylko jeden Mateusz w całej Akademii nie zaczyna się na A. Zresztą Mateusz nie jest wcale uczniem. Jest to uczony szpak pana Kleksa. Mateusz umie doskonale mówić, posiada jednak tę właściwość, że wymawia tylko końcówki wyrazów, nie zwracając zupełnie uwagi na ich początek. Gdy na przykład Mateusz odbiera telefon, odzywa się zazwyczaj:

– Oszę, u emia ana eksa!

Oznacza to:

– Proszę, tu Akademia pana Kleksa.

Oczywiście, że obcy nie mogą go wcale zrozumieć, ale pan Kleks i jego uczniowie porozumiewają się z nim doskonale. Mateusz odrabia z nami lekcje i często zastępuje pana Kleksa w szkole, gdy pan Kleks idzie łapać motyle na drugie śniadanie.

Ach, prawda! Byłbym całkiem zapomniał powiedzieć, że nasza Akademia mieści się w ogromnym parku, pełnym rozmaitych dołów, jarów i wąwozów, i otoczona jest wysokim murem. Nikomu nie wolno wychodzić poza mur bez pana Kleksa. Ale ten mur nie jest to mur byle jaki. Po tej stronie, która biegnie wzdłuż ulicy, jest zupełnie gładki i tylko pośrodku znajduje się duża oszklona brama. Natomiast w trzech pozostałych częściach muru mieszczą się długim, nieprzerwanym szeregiem jedna obok drugiej żelazne furtki, pozamykane na małe srebrne kłódeczki.

Wszystkie te furtki prowadzą do rozmaitych sąsiednich bajek, z którymi pan Kleks jest w bardzo dobrych i zażyłych stosunkach. Na każdej furtce jest tabliczka z napisem wskazującym, do której bajki prowadzi. Są tam wszystkie bajki pana Andersena i braci Grimm, bajka o dziadku do orzechów, o rybaku i rybaczce, o wilku, który udawał żebraka, o sierotce Marysi i krasnoludkach, o kaczce-dziwaczce i wiele, wiele innych. Nikt nie wie dokładnie, ile jest tych furtek, bo kiedy je zacząć liczyć, nie można się nie pomylić i po chwili nie wiadomo już, co się naliczyło przedtem. Tam, gdzie powinno być dwanaście, wypada nagle dwadzieścia osiem, a tam, gdzie zdawałoby się, że jest dziewięć, wypada trzydzieści jeden albo sześć. Nawet Mateusz nie wie, ile jest tych bajek, i powiada, że „oże o, a óże eście", co znaczy, że może sto, a może dwieście.

Kluczyki od furtek przechowuje pan Kleks w dużej srebrnej szkatule i zawsze wie, który z nich do której kłódki pasuje. Bardzo często pan Kleks posyła nas do różnych bajek po sprawunki. Wybór przeważnie pada na mnie, bo jestem rudy i od razu rzucam się w oczy. Pewnego więc dnia, gdy panu Kleksowi zabrakło zapałek, zawołał mnie do siebie, dał mi mały złoty kluczyk na złotym kółku i powiedział:

– Mój Adasiu, skoczysz do bajki pana Andersena o dziewczynce z zapałkami, powołasz się na mnie i poprosisz o pudełko zapałek.

Ogromnie uradowany poleciałem do parku i nie wiedząc zupełnie w jaki sposób, trafiłem od razu do właściwej furtki. Za chwilę już znalazłem się po drugiej stronie. Oczom moim ukazała się ulica jakiegoś nieznanego miasta, po której snuło się mnóstwo ludzi. I nawet padał śnieg, chociaż po naszej stronie było w tym czasie lato. Wszyscy przechodnie trzęśli się z zimna, którego ja wcale nie odczuwałem, i nie spadł na mnie ani jeden płatek śniegu.

Kiedy tak stałem zdziwiony, zbliżył się do mnie jakiś starszy siwy pan, pogłaskał mnie po głowie i rzekł z uśmiechem:

– Nie poznajesz mnie? Nazywam się Andersen. Dziwi cię, że tutaj pada śnieg i mamy zimę, podczas gdy u was jest czerwiec i dojrzewają czereśnie. Prawda? Ale przecież musisz, chłopcze, zrozumieć, że ty jesteś z zupełnie innej bajki. Po co tutaj przyszedłeś?

– Przyszedłem, proszę pana, po zapałki. Pan Kleks mnie przysłał.

– Ach, to ty jesteś od pana Kleksa! – ucieszył się pan Andersen. – Bardzo lubię tego dziwaka. Zaraz dostaniesz pudełko zapałek.

Po tych słowach pan Andersen klasnął w dłonie i po chwili zza rogu ukazała się mała zziębnięta dziewczynka z zapałkami. Pan Andersen wziął od niej jedno pudełko i podał mi je, mówiąc:

– Masz, zanieś to panu Kleksowi. I przestań płakać. Nie lituj się nad tą dziewczynką. Jest ona biedna i zziębnięta, ale tylko na niby. Przecież to bajka. Wszystko tu jest zmyślone i nieprawdziwe.

Dziewczynka uśmiechnęła się do mnie, skinęła mi ręką na pożegnanie, a pan Andersen odprowadził mnie z powrotem do furtki.

Kiedy opowiedziałem chłopcom o mojej przygodzie, wszyscy mi bardzo zazdrościli, że poznałem pana Andersena.

Później chodziłem do różnych bajek bardzo często w rozmaitych sprawach: a to trzeba było przynieść parę butów z bajki o kocie w butach, a to znów w sekretach pana Kleksa pojawiły się myszy i trzeba było sprowadzić samego kota albo kiedy nie było czym zamieść podwórka, musiałem pożyczyć miotły od pewnej czarownicy z bajki o Łysej Górze.

Natomiast było i tak, że pewnego pięknego dnia zjawił się u nas jakiś obcy pan w szerokim aksamitnym kaftanie, w krótkich aksamitnych spodniach, w kapeluszu z piórem i kazał zaprowadzić się do pana Kleksa.

Wszyscy byliśmy ogromnie zaciekawieni, po co ten pan właściwie przyszedł. Pan Kleks długo z nim rozmawiał szeptem, częstował go pigułkami na porost włosów, które sam miał zwyczaj nieustannie łykać, a potem, wskazując na mnie i na jednego z Andrzejów, rzekł:

– Słuchajcie, chłopcy, ten pan, którego tu widzicie, przyszedł z bajki o śpiącej królewnie i siedmiu braciach. Otóż dwaj spośród nich poszli wczoraj do lasu i nie wrócili. Sami rozumiecie, że w tych warunkach bajka o śpiącej królewnie i siedmiu braciach nie może się dokończyć. Dlatego też wypożyczam was temu panu na dwie godziny. Tylko pamiętajcie, macie wrócić na kolację.

– Acja ędzie ed ostą! – zawołał Mateusz, co miało oznaczać, że kolacja będzie przed szóstą.

Poszliśmy razem z owym panem w aksamitnym ubraniu. Dowiedzieliśmy się po drodze, że jest on jednym z braci śpiącej królewny i że my również będziemy musieli ubrać się w taki sam aksamitny strój. Zgodziliśmy się na to chętnie, obaj byliśmy ciekawi widoku śpiącej królewny. Nie będę rozpisywał się tutaj na temat samej bajki, bo każdy ją na pewno zna. Muszę jednak powiedzieć, że za udział w bajce śpiąca królewna po przebudzeniu się zaprosiła mnie i Andrzeja na podwieczorek. Nie wszyscy pewno wiedzą, jakie podwieczorki jadają królewny, a zwłaszcza królewny z bajek. Przede wszystkim więc lokaje wnieśli na tacach ogromne stosy ciastek z kremem, a prócz tego sam krem w dużych srebrnych misach. Każdy z nas dostał tyle ciastek, ile tylko chciał. Do ciastek podano nam czekoladę, każdemu po trzy szklanki naraz, a w każdej szklance po wierzchu pływała ponadto czekolada w kawałkach. Na stole na dużych półmiskach leżały marcepanowe zwierzątka i lalki oraz marmoladki, cukierki i owoce w cukrze. Wreszcie na kryształowych talerzach i wazach ułożone były winogrona, brzoskwinie, mandarynki, truskawki i rozmaite inne owoce oraz przeróżne gatunki lodów w czekoladowych foremkach.

Królewna uśmiechała się do nas i namawiała, abyśmy jedli jak najwięcej, bo żadna ilość nam nie zaszkodzi. Przecież wiadomo, że w bajkach nigdy nie choruje się z przejedzenia i że jest zupełnie inaczej niż w rzeczywistości. Schowałem do kieszeni kilka foremek z lodami, aby je zanieść kolegom, ale lody się rozpuściły i kapały mi po nogach. Całe szczęście, że nikt tego nie zauważył.

Po podwieczorku królewna kazała zaprząc parę kucyków do małego powozu i towarzyszyła nam aż pod sam mur Akademii pana Kleksa.

– Kłaniajcie się ode mnie panu Kleksowi – powiedziała na pożegnanie – i poproście go, żeby przyszedł do mnie na motylki w czekoladzie.

A po chwili dodała:

– Tyle słyszałam o bajkach pana Kleksa. Będę je musiała koniecznie kiedyś odwiedzić.

W ten sposób dowiedziałem się, że pan Kleks ma swoje własne bajki, ale poznałem je dopiero znacznie później.

W każdym razie zacząłem odtąd szanować pana Kleksa jeszcze bardziej i postanowiłem zaprzyjaźnić się z Mateuszem, aby dowiedzieć się od niego o wszystkim.

Mateusz nie jest skory do rozmów, a zdarzają się nawet takie dni, że w ogóle z nikim nie chce gadać.

Pan Kleks na jego upór ma specjalne lekarstwo, a mianowicie – piegi.

Nie pamiętam, czy wspomniałem już o tym, że twarz pana Kleksa po prostu upstrzona jest piegami. Początkowo najbardziej dziwiła mnie okoliczność, że piegi te codziennie zmieniały swoje położenie: jednego dnia zdobiły nos pana Kleksa, nazajutrz znów przenosiły się na czoło po to, aby trzeciego dnia pojawić się na brodzie albo na szyi.

Okazało się, że przyczyną tego jest roztargnienie pana Kleksa, który na noc zazwyczaj piegi zdejmuje i chowa do złotej tabakierki, a rano przytwierdza je z powrotem, ale za każdym razem na innym miejscu. Pan Kleks nigdy nie rozstaje się ze swoją tabakierką, w której ma mnóstwo zapasowych piegów rozmaitej wielkości i barwy.

Co czwartek przychodzi z miasta pewiem golarz, imieniem Filip, i przynosi panu Kleksowi świeże piegi, które za pomocą brzytwy zbiera z twarzy swoich klientów podczas golenia. Pan Kleks ogląda je bardzo dokładnie, przymierza przed lustrem, po czym chowa starannie do tabakierki.

W niedzielę i święta pan Kleks punktualnie o jedenastej mówi:

– No, a teraz zażyjmy sobie piegów.

Po tych słowach wybiera z tabakierki cztery albo pięć największych i najbardziej okazałych piegów i przytwierdza je sobie do nosa.

Zdaniem pana Kleksa nie może być nic piękniejszego niż duże, czerwone lub żółte piegi.

– Piegi znakomicie działają na rozum i chronią od kataru – zwykł mawiać do nas pan Kleks.

Dlatego też, jeżeli któryś z uczniów wyróżni się podczas lekcji, pan Kleks uroczyście wyjmuje z tabakierki świeżą, nieużywaną jeszcze piegę i przytwierdza ją do nosa takiego szczęściarza, mówiąc:

– Noś ją godnie, mój chłopcze, i nigdy jej nie zdejmuj, jest to bowiem najwyższa odznaka, jaką możesz sobie zdobyć w mojej Akademii.

Jeden z Aleksandrów zdobył już aż trzy duże piegi, a niektórzy z chłopców dostali po dwie lub po jednej i obnoszą je na swoich twarzach z niezwykłą dumą. Zazdroszczę im i nie wiem, co dałbym za to, żeby otrzymać takie odznaczenie, ale pan Kleks powiada, że jeszcze za mało umiem.

Otóż wracając do Mateusza, muszę powiedzieć, że przepada on za piegami pana Kleksa i uważa je za największy przysmak.

Skoro tedy Mateusz zaniemówi, pan Kleks zdejmuje ze swojej twarzy najbardziej zużytą piegę i daje ją Mateuszowi do zjedzenia. Skutek jest natychmiastowy: Mateusz zaczyna mówić i odpowiada na wszystkie pytania. Taki sposób wymyślił na niego pan Kleks!

Osobliwości pana Kleksa

Pan Kleks potrafi wszystko! Nie ma takiej rzeczy, której by nie potrafił.

Może zawsze z całą dokładnością określić, co kto o której godzinie myślał, może usiąść na krześle, które powinno być, ale którego wcale nie ma, może unosić się w powietrzu, jak gdyby był balonem, może z małych przedmiotów robić duże i odwrotnie, umie z kolorowych szkiełek przyrządzić rozmaite potrawy, potrafi płomyk świecy zdjąć i przechować go w kieszonce od kamizelki przez kilka dni.

Krótko mówiąc – potrafi wszystko.

Gdy tak sobie rozmyślałem o tych sprawach podczas lekcji, pan Kleks, który zauważył te moje myśli, pogroził mi palcem i rzekł:

– Słuchajcie, chłopcy! Niektórym z was wydaje się, że jestem jakimś czarownikiem lub sztukmistrzem. Takiemu, co tak myśli, powiedzcie, że jest głupi. Lubię robić wynalazki i znam się trochę na bajkach. To wszystko. Jeśli macie zamiar przypisywać mi jakieś niezwykłe rzeczy, to mnie to wcale nie obchodzi. Możecie sobie roić, co tylko wam się podoba. Nie wtrącam się do cudzych spraw. Są tacy, co wierzą, że człowiek może przedzierzgnąć się w ptaka. Prawda, Mateuszu?

– Awda, awda! – zawołał Mateusz z tylnej kieszeni surduta pana Kleksa.

– A moim zdaniem – ciągnął pan Kleks – są to zmyślone historyjki, w które ja wierzyć nie mam zamiaru.

– No, a bajki, panie profesorze, też są zmyślone? – zapytał niespodziewanie Anastazy.

– Z bajkami bywa rozmaicie – rzekł pan Kleks. – Są tacy, którzy na przykład uważają, że ja też jestem zmyślony i że moja Akademia jest zmyślona, ale mnie się zdaje, że to nieprawda.

Wszyscy uczniowie bardzo szanują i kochają pana Kleksa, gdyż nigdy się nie gniewa i jest nadzwyczajnie dobry.

Pewnego dnia, kiedy spotkał mnie w parku, uśmiechnął się i rzekł do mnie:

– Bardzo ci ładnie w tych rudych włosach, mój chłopcze!

A po chwili, patrząc na mnie badawczo, dodał:

– Pomyślałeś sobie teraz, że mam pewno ze sto lat, prawda? A tymczasem jestem o dwadzieścia lat młodszy od ciebie.

Istotnie, tak sobie właśnie pomyślałem, dlatego też zrobiło mi się przykro, że pan Kleks te myśli zauważył. Długo jednak zastanawiałem się nad tym, w jaki sposób pan Kleks może być o tyle lat ode mnie młodszy.

Otóż Mateusz opowiedział mi, że na drugim piętrze, gdzie mieszka z panem Kleksem, stoją na parapecie okna dwa łóżeczka nie większe niż pudełka od cygar i że na nich właśnie sypiają pan Kleks i Mateusz. Nie dziwię się, że w takim łóżeczku może zmieścić się szpak, ale pan Kleks?... Nie mogłem tego pojąć. Być może, że Mateuszowi wszystko tak się tylko wydaje albo że po prostu zmyśla, w każdym razie opowiedział mi, że co dzień o północy pan Kleks zaczyna się zmniejszać, aż wreszcie staje się mały jak niemowlę, traci włosy, wąsy i brodę i kładzie się jak gdyby nigdy nic do maleńkiego łóżeczka w sąsiedztwie Mateusza.

O świcie pan Kleks wstaje, wkłada sobie do ucha pompkę powiększającą i po chwili doprowadza się do stanu normalnej wielkości. Następnie łyka kilka pigułek na porost włosów i w ten sposób po upływie dziesięciu minut odzyskuje swoją zwykłą postać.

Powiększająca pompka pana Kleksa w ogóle zasługuje na uwagę. Z wyglądu przypomina zwykłą oliwiarkę, używaną do oliwienia maszyny do szycia. Gdy pan Kleks przykłada pompkę do jakiegokolwiek przedmiotu i naciska jej denko, przedmiot ów zaczyna natychmiast rosnąć i się powiększać. Dzięki temu pan Kleks może w jednej chwili z niemowlęcia przeobrazić się w dorosłego człowieka, dzięki temu również na obiad dla całej Akademii wystarcza kawałek mięsa wielkości dłoni, gdyż po upieczeniu pan Kleks powiększa go za pomocą swej pompki do rozmiarów dużej pieczeni. Szczególna właściwość powiększającej pompki polega jeszcze na tym, że powiększa ona przedmioty tylko wtedy, gdy tego naprawdę potrzeba, z chwilą gdy potrzeba taka ustaje, ustaje również niezwłocznie działanie pompki i powiększony przedmiot wraca do swego normalnego stanu. Dlatego właśnie pan Kleks o północy zaczyna się zmniejszać, z tych samych powodów również wnet po zjedzeniu pieczeni pana Kleksa jesteśmy wszyscy bardzo głodni, tak jak gdybyśmy wcale nie jedli obiadu, i musimy dojadać potrawami z kolorowych szkiełek.

Ponieważ desery nie stanowią koniecznej potrzeby, powiększająca pompka nie ma na nie żadnego wpływu i trzeba je zawsze przyrządzać w normalnej ilości. Bardzo nas to wszystko martwi, ale pan Kleks obiecał, że do powiększania deserów wymyśli jakiś specjalny przyrząd.

Na pierwsze śniadanie pan Kleks zjada zazwyczaj kilka kulek z kolorowego szkła i popija je zielonym płynem. Jest to płyn, który – według słów Mateusza – przywraca w pamięci pana Keksa to, co działo się przedtem, bo podczas snu pan Kleks wszystko, ale to wszystko zapomina. Gdy pewnego ranka zabrakło zielonego płynu, pan Kleks nie mógł sobie przypomnieć, kim jest ani jak się nazywa, nie poznał własnej Akademii ani swoich uczniów i nawet Mateusza nazwał Azorkiem, gdyż zapomniał, że Mateusz nie jest psem, tylko szpakiem.

Chodził wówczas po Akademii jak nieprzytomny i wołał:

– Panie Andersen! Zgubiłem wczorajszy dzień! Jasiu! Małgosiu! Kud-ku-dak! Jestem kurą! Zaraz zniosę jajko! Zwróćcie mi moje piegi!

Gdyby nie to, że Mateusz przeleciał ponad murem i pożyczył od trzech wesołych krasnoludków flaszkę zielonego płynu, pan Kleks na pewno byłby stracił rozum i już dzisiaj nie istniałaby jego słynna Akademia.

Po pierwszym śniadaniu pan Kleks przytwierdza do twarzy swoje piegi i zaczyna się ubierać. Warto tutaj opisać strój pana Kleksa i jego wygląd.

Pan Kleks jest średniego wzrostu, ale nie wiadomo zupełnie, czy jest gruby, czy chudy, albowiem cały tonie po prostu w swoim ubraniu. Nosi szerokie spodnie, które chwilami, zwłaszcza podczas wiatru, przypominają balon; niezwykle obszerny, długi surdut koloru czekoladowego lub bordo; aksamitną cytrynową kamizelkę, zapinaną na szklane guziki wielkości śliwek; sztywny, bardzo wysoki kołnierzyk oraz aksamitną kokardkę zamiast krawata. Szczególną osobliwość stroju pana Kleksa stanowią kieszenie, których ma niezliczoną po prostu ilość. W spodniach jego zdołałem naliczyć szesnaście kieszeni, w kamizelce zaś dwadzieścia cztery. W surducie natomiast jest tylko jedna kieszeń, i to w dodatku z tyłu. Przeznaczona jest ona dla Mateusza, który ma prawo przebywać w niej, kiedy mu się tylko spodoba.

Dlatego też, gdy pan Kleks przychodzi rano do pracy i ma już usiąść w fotelu, z tylnej kieszeni jego surduta rozlega się nagle głos:

– Aga, ak!

Co znaczy:

– Uwaga, szpak!

Wówczas pan Kleks rozsuwa poły surduta i siada ostrożnie, ażeby nie przygnieść Mateusza.

Zresztą nie zawsze ostrożność ta jest potrzebna, gdyż zdarza się nieraz, że wchodząc rano do klasy, pan Kleks mówi:

– Adasiu, zabierz ten fotel.

Gdy zaś fotel jest zabrany, pan Kleks siada sobie wygodnie w powietrzu, akurat w tym miejscu, gdzie przypadało siedzenie fotela.

W kieszeniach kamizelki pana Kleksa mieszczą się rozmaite przedmioty, które budzą podziw i zazdrość wszystkich uczniów Akademii. Jest tam flaszka z zielonym płynem, tabakierka z zapasowymi piegami, powiększająca pompka, senny kwas, o którym jeszcze opowiem, kolorowe szkiełka, kilka płomyków świec, pigułki na porost włosów, złote kluczyki oraz rozmaite inne osobliwości pana Kleksa.

Kieszenie spodni są, moim zdaniem, bez dna. Pan Kleks może schować w nich, co tylko zechce, i nigdy nie znać, że cokolwiek w nich się znajduje. Mateusz opowiadał mi, że przed pójściem spać pan Kleks opróżnia wszystkie kieszenie spodni i układa ich zawartość w sąsiednim pokoju, przy czym nieraz zdarza się tak, że w jednym pokoju miejsca nie wystarcza i trzeba otworzyć dodatkowo drugi, a niekiedy nawet trzeci pokój.

Głowa pana Kleksa nie przypomina żadnej spośród głów, które się kiedykolwiek w życiu widziało. Pokryta jest ogromną czupryną, mieniącą się wszystkimi barwami tęczy, i okolona bujną zwichrzoną brodą, czarną jak smoła.

Nos zajmuje większą część twarzy pana Kleksa, jest bardzo ruchliwy i przekrzywiony w prawo albo w lewo, w zależności od pory roku. Na nosie tkwią srebrne binokle, bardzo przypominające mały rower, pod nosem zaś rosną długie sztywne wąsy koloru pomarańczy. Oczy pana Kleksa są jak dwa świderki i gdyby nie binokle, które je osłaniają, na pewno przekłuwałby nimi na wylot.

Pan Kleks widzi absolutnie wszystko, a kiedy chce zobaczyć to, czego nie widzi, też ma na to sposób.

Otóż w jednej z piwnic przechowywane są stale różnokolorowe baloniki z przyczepionymi do nich małymi koszyczkami. Dopiero przed paru tygodniami dowiedziałem się, do czego służą one panu Kleksowi.

Było to tak: w chwili gdy wstawaliśmy od obiadu, przybiegł z miasta Filip i opowiedział, że przy zbiegu ulic Rezedowej i Śmiesznej ze-

psuł się tramwaj, całkowicie zatarasował drogę i nikt go nie potrafi naprawić. Pan Kleks kazał przynieść sobie natychmiast jeden balonik, do koszyczka przytwierdzonego pod nim włożył prawe swoje oko, nastawił odpowiednio blaszany ster i po chwili balonik poleciał w kierunku miasta.

– Przygotujcie się, chłopcy, do drogi – rzekł do nas pan Kleks. – Za chwilę już będę widział, co stało się tramwajowi, i pójdziemy go ratować.

W istocie, po pięciu minutach balonik wrócił i spadł prosto pod nogi pana Kleksa. Pan Kleks wyjął z koszyka oko, włożył je na swoje miejsce i powiedział z uśmiechem:

– Teraz wszystko już widzę: tramwajowi zabrakło smaru w lewym tylnym kole, a ponadto do przedniej osi dostał się piasek. Niezależnie od tego na dachu przetarły się druty, a motorniczemu spuchła wątroba. Ruszamy! Anastazy, otwieraj bramę! Żwawo! Maszerujemy!

Czwórkami wyszliśmy na ulicę, a pan Kleks podążał za nami. Po chwili zdjął z nosa binokle, przytknął do nich powiększającą pompkę i binokle zaczęły rosnąć. Gdy stały się już tak duże jak rower, pan Kleks wsiadł na nie i pojechał naprzód, wskazując nam drogę.

W ten sposób dotarliśmy niebawem do ulicy Śmiesznej. W poprzek ulicy istotnie stał pusty tramwaj, całkowicie tamując ruch. Kilku tramwajarzy i mechaników, sapiąc i ocierając pot, krzątało się dookoła zepsutego wozu.

Na widok pana Kleksa wszyscy się rozstąpili. Pan Kleks kazał nam otoczyć tramwaj i wziąć się za ręce, ażeby nikt nie miał do niego dostępu, po czym zbliżył się do motorniczego, który wił się w bólach, i dał mu połknąć małe niebieskie szkiełko. Następnie zajął się zepsutym tramwajem. Wyjął więc ze swych bezdennych kieszeni małą słuchawkę, młoteczek, angielski plasterek, słoiczek z żółtą maścią i flaszkę z jodyną. Opukał tramwaj ze wszystkich stron i boków, osłuchał go dokładnie, po czym wysmarował żółtą maścią motor i korbę. Osie pokropił jodyną, a w końcu wdrapał się na dach tramwaju i pozalepiał angielskim plasterkiem przetarte części drutu.

Wszystkie te zabiegi trwały nie więcej niż dziesięć minut.

– Gotowe – rzekł pan Kleks – można jechać!

Po tych słowach motorniczy, wyleczony przez pana Kleksa, z wesołym uśmiechem wskoczył na pomost, zakręcił korbą i tramwaj potoczył się lekko po szynach, jak gdyby tylko co wyszedł z fabryki. Po naprawieniu tramwaju wróciliśmy do domu, śpiewając po drodze marsz Akademii pana Kleksa.

Kilka dni później widziałem jeszcze raz, jak pan Kleks, mówiąc jego słowami, wysłał oko na oględziny.

Leżeliśmy wówczas wszyscy razem w parku nad stawem i zapisywaliśmy w zeszytach kumkanie żab. Pan Kleks nauczył nas odróżniać w tym kumkaniu poszczególne sylaby i okazało się, że można z nich zestawić bardzo ładne wierszyki.

Ja sam na przykład zdołałem zanotować wierszyk następujący:

Księżyc raz odwiedził staw,
Bo miał dużo ważnych spraw.
Zobaczyły go szczupaki:
„Kto to taki? Kto to taki?".
Księżyc na to odrzekł szybko:
„Jestem sobie złotą rybką!".
Słysząc taką pogawędkę,
Rybak złowił go na wędkę,
Dusił całą noc w śmietanie
I zjadł rano na śniadanie.

Gdyśmy siedzieli nad stawem, pan Kleks przeglądał się w wodzie i w pewnej chwili tak się nieszczęśliwie przechylił, że z kamizelki wy-

padła mu powiększająca pompka. Widzieliśmy wszyscy, jak zanurzyła się w wodzie, i zanim pan Kleks zdążył ją złapać, poszła na dno.

Nie namyślając się długo, skoczyłem do stawu, a za mną kilku innych chłopców, jednak wszystkie nasze poszukiwania nie zdały się na nic. Po prostu znikła bez śladu. Wówczas pan Kleks wyjął prawe oko i wrzucił je do wody, mówiąc:

– Wysyłam oko na oględziny. Dowiemy się zaraz, gdzie leży pompka.

Gdy po chwili oko wypłynęło na powierzchnię i pan Kleks włożył je z powrotem na miejsce, zawołał:

– Widzę! Leży w jamie zamieszkanej przez raki, cztery metry od brzegu.

Natychmiast dałem nurka pod wodę i rzeczywiście znalazłem pompkę ściśle tam, gdzie mi wskazał pan Kleks.

Przed tygodniem pan Kleks zgotował nam niespodziankę nie lada. Kazał przynieść sobie z piwnicy niebieski balonik, włożył prawe oko do koszyczka i rzekł:

– Wysyłam je na Księżyc. Muszę dowiedzieć się, kto mieszka na Księżycu, bo chcę napisać dla was bajkę o księżycowych ludziach.

Balonik niebawem się uniósł, ale dotąd jeszcze nie wrócił. Pan Kleks jednak powiada, że Księżyc jest bardzo wysoko i że balonik na pewno wróci przed Bożym Narodzeniem. Tymczasem pan Kleks patrzy jednym okiem, drugie zaś zalepił sobie angielskim plasterkiem.

Wracając do codziennych zwyczajów pana Kleksa, chciałbym jeszcze wspomnieć tutaj, że rano, gdy tylko pan Kleks się ubierze, schodzi na dół na lekcje. Właściwie nie można powiedzieć, że pan Kleks schodzi, gdyż zjeżdża po poręczy, siedząc na niej jak na koniu i przytrzymując sobie oburącz binokle na nosie. Nie byłoby w tym zresztą nic szczególnego, gdyby nie to, że pan Kleks równie łatwo wjeżdża po poręczy na górę. W tym celu nabiera pełne usta powietrza, wydyma policzki i staje się lekki jak piórko. W ten sposób pan Kleks nie tylko wjeżdża po poręczy, ale może również unosić się swobodnie w górę,

gdzie i kiedy zechce, a zwłaszcza wtedy gdy udaje się na połów motyli. Motyle stanowią nieodzowną część pożywienia pana Kleksa, a na drugie śniadanie nie jada nic innego.

– Zapamiętajcie sobie, moi chłopcy – oświadczył nam kiedyś pan Kleks – że smak mieści się nie tylko w samym pożywieniu, lecz również w jego barwie. Na pożywieniu mi nie zależy, gdyż dostatecznie nasycam się pigułkami na porost włosów, ale podniebienie mam bardzo wybredne i lubię różne smaczne rzeczy. Dlatego też jadam tylko to, co jest kolorowe, a więc motyle, kwiaty, różne kolorowe szkiełka oraz potrawy, które sam sobie pomaluję na jakiś smaczny kolor.

Zauważyłem jednak, że jedząc motyle, pan Kleks wypluwa pestki takie same, jakie są w czereśniach lub wiśniach.

Zgadując moje myśli, pan Kleks mi wyjaśnił, że jada tylko specjalny gatunek motyli, które mają wewnątrz pestki i które można sadzić na grządkach jak fasolę.

Wszyscy uczniowie pana Kleksa myślą, że bardzo łatwo unosić się w powietrzu tak jak on. Nadymają się więc z całych sił, wydymają policzki, naśladując ruchy pana Kleksa, ale mimo to nic im się nie udaje. Arturowi z wysiłku krew poszła z nosa, a jeden z Antonich o mało nie pękł.

Na równi z mymi kolegami przeprowadzałem te same próby, ale upływał dzień za dniem i chociaż pan Kleks udzielał nam pewnych wskazówek, wysiłki moje pozostały bez rezultatu.

Aż naraz w niedzielę po południu wciągnąłem w siebie powietrze tak jakoś dziwnie, że poczułem wewnątrz niezwykłą lekkość, a gdy nadto jeszcze wydąłem policzki, ziemia poczęła mi się usuwać spod nóg i uniosłem się w górę.

Nauka w Akademii

Co rano punktualnie o piątej Mateusz otwiera tak zwane śluzy. Są to niewielkie otwory w suficie, poumieszczane akurat nad łóżkami chłopców. Otworów takich jest tyle, ile łóżek, czyli ogółem dwadzieścia cztery. Gdy je Mateusz otwiera, zaczyna przez nie sączyć się zimna woda, która kapie prosto na nasze nosy.

W ten sposób Mateusz budzi uczniów pana Kleksa.

Równocześnie rozlega się donośny głos Mateusza:

– Udka, awać!

Co znaczy:

– Pobudka, wstawać!

Na to wezwanie zrywamy się wszyscy z łóżek i ubieramy się jak najprędzej, gdyż umieramy po prostu z ciekawości, czego nas tym razem będzie uczył pan Kleks.

Sypialnia nasza jest bardzo obszerna. Wzdłuż ścian biegną umywalnie i każdy z nas ma swój własny prysznic. Myjemy się bardzo chętnie, gdyż z pryszniców tryska woda sodowa z sokiem, przy czym na każdy dzień tygodnia przypada inny sok. Jeśli chodzi o mnie, to najstaranniej myję się w środy, gdyż tego dnia do wody dodawany jest sok malinowy, za którym przepadam. Soki pana Kleksa doskonale się mydlą i dają dużo piany, toteż sypialnia nasza zawsze z rana wygląda jak wielka balia z mydlinami.

Ubranie nasze składa się z granatowych koszul, białych, długich spodni, granatowych pończoch i białych trzewików. Jeśli któryś z chłopców coś przeskrobie albo nie umie lekcji, wówczas za karę musi nosić przez cały dzień żółty krawat w zielone grochy. Krawat taki jest bardzo piękny i właściwie każdy powinien by go chętnie nosić, my jednak martwimy się okropnie, gdy spotka którego z nas taka kara.

O wpół do szóstej zabieramy nasze senne lusterka i udajemy się do jadalni na śniadanie.

Stoi tam pośrodku duży okrągły stół, przy którym każdy uczeń ma swoje stałe miejsce. Szyby w oknach są różnokolorowe, co bardzo podnosi smak wszystkich potraw.

Pan Kleks śniadania i kolacje jada osobno, natomiast podczas obiadu unosi się w powietrzu ponad stołem z polewaczką w ręce i polewa nam potrawy rozmaitymi sosami. Każdy sos posiada inną właściwość: biały wzmacnia zęby, niebieski poprawia wzrok, żółty reguluje oddech, szary oczyszcza krew, zielony usuwa łupież.

Mateusz podczas jedzenia stoi na krawędzi wazonu pośrodku stołu i uważa, abyśmy nic nie pozostawiali na talerzach.

O godzinie szóstej rano Mateusz chwyta w dziób mały srebrny dzwoneczek i dzwoni na apel. Biegniemy wówczas wszyscy do gabinetu pana Kleksa, gdzie pan Kleks już na nas czeka i na dzień dobry całuje każdego w czoło.

Po apelu pan Kleks wchodzi do dużej szafy stojącej w rogu gabinetu i przez okienko w jej drzwiach odbiera od nas senne lusterka. Mają one swoje szczególne przeznaczenie. Na nocnych stolikach przy każdym z łóżek stoi takie lusterko przez całą noc. Odbijają się w nich nasze sny i rano, gdy lusterka oddajemy panu Kleksowi, ogląda on dokładnie, co śniło się każdemu z nas. Sny niedobre, niedokończone, głupie i nieodpowiednie idą do śmietnika, a pozostają tylko te, które spodobały się panu Kleksowi.

Za pomocą waty nasyconej sennym kwasem pan Kleks zbiera z lusterek wszystkie wybrane sny i wyciska je do porcelanowej miseczki. Tam suszą się one przez jakiś czas. Gdy wyschną już na proszek, pan Kleks na specjalnej maszynce wytłacza z nich okrągłe pastylki, które wszyscy zażywamy na noc. Dzięki temu mamy coraz ładniejsze i coraz ciekawsze sny, a najpiękniejsze z nich pan Kleks zapisuje w senniku swojej Akademii.

Mój sen o siedmiu szklankach tak się spodobał panu Kleksowi, że zapisał go w senniku od początku do końca i odznaczył mnie dwiema piegami. Ponadto zapowiedział całej klasie, że w niedzielę po południu sen ten odczytany zostanie na głos.

Lekcje rozpoczynają się o siódmej rano.

Nigdzie chyba chłopcy nie uczą się tak chętnie, jak w Akademii pana Kleksa. Przede wszystkim nigdy nie wiadomo, co pan Kleks danego dnia wymyśli, a po wtóre – wszystko, czego się uczymy, jest ogromnie ciekawe i zabawne.

– Pamiętajcie, chłopcy – rzekł do nas na samym początku pan Kleks – że nie będę was uczył ani tabliczki mnożenia, ani gramatyki, ani kaligrafii, ani tych wszystkich nauk, które są zazwyczaj wykładane w szkołach. Ja wam po prostu pootwieram głowy i naleję do nich oleju.

Ażeby każdy mógł zorientować się, jakiego rodzaju nauki pobieramy w Akademii pana Kleksa, opowiem dla przykładu przebieg dnia wczorajszego, gdyż na opisanie wszystkich lekcji, przedmiotów, wykładów, zajęć i ćwiczeń z całego roku nie wystarczyłoby miejsca w żadnej książce.

Otóż wczoraj pierwsza lekcja była to lekcja kleksografii. Naukę tę wymyślił pan Kleks, abyśmy wiedzieli, jak trzeba obchodzić się z atramentem.

Kleksografia polega na tym, że na arkuszu papieru robi się kilka dużych kleksów, po czym arkusz składa się na pół i kleksy rozmazują się po papierze, przybierając kształty rozmaitych figur, zwierząt i postaci.

Niekiedy z rozgniecionych kleksów powstają całe obrazki, do których dopisujemy odpowiednie historyjki, wymyślone przez pana Kleksa.

Myślę, że sam pan Kleks powstał z takiego właśnie rozgniecionego atramentowego kleksa i dlatego tak się nazywa. Mateusz jest zdania,

że po panu Kleksie można się wszystkiego spodziewać i że moje przypuszczenia są całkiem prawdopodobne.

Do jednego z moich obrazków pan Kleks ułożył taki dwuwiersz:

Bardzo trudno jest mi orzec,
Czy to ptak, czy nosorożec.

Lekcja kleksografii niezmiernie nam przypadła do gustu. Poszło na nią kilka flaszek atramentu i cały stos papieru, nie mówiąc już o tym, że wszyscy byliśmy ubrudzeni atramentem aż po łokcie. Wieczorem musieliśmy użyć do mycia soku cytrynowego, gdyż żaden nie mógł odmyć plam z naszych rąk i twarzy.

Po lekcji kleksografii zabraliśmy się do przędzenia liter. Zauważyliście pewno wszyscy, że drukowane litery w książkach składają się z czarnych niteczek, posplatanych w najrozmaitszy sposób. Pan Kleks nauczył nas rozplątywać litery, rozplatać poszczególne małe niteczki i łączyć je w jedną długą nitkę, którą następnie nawija się na szpulkę. W ten sposób nawinęliśmy już na szpulki mnóstwo książek z biblioteki pana Kleksa, tak że na półkach zostały tylko puste stronice, bez liter. Z jednej książki można otrzymać siedem, a czasem nawet osiem dużych szpulek czarnych nici, na których pan Kleks następnie wiąże supełki. Jest to największa pasja Pana Kleksa. Potrafi całymi godzinami siedzieć w fotelu albo w powietrzu i wiązać supełki.

Gdy zapytałem go, po co to robi, odrzekł mi wielce zdziwiony:

– Jak to? Czy nie rozumiesz? Przecież czytam! Przepuszczam litery przez palce i mogę w ten sposób przeczytać całą książkę, nie męcząc wzroku. Gdy nawiniecie już na szpulki wszystkie moje książki, nauczę was również czytać palcami.

Przędzenie liter jest właściwie dość żmudne, ale wolę je niż czytanie wypisów lub odrabianie zadań arytmetycznych.

Po lekcji przędzenia liter pan Kleks zaprowadził nas wszystkich na drugie piętro i otworzył jeden z zamkniętych pokojów.

– Wchodźcie ostrożnie, moi chłopcy – rzekł pan Kleks, wpuszczając nas do środka – w sali tej mieści się szpital chorych sprzętów, musicie uważać, aby żadnego z nich nie urazić. Pamiętacie, jak wyleczyłem zepsuty tramwaj? Otóż dzisiaj chcę was nauczyć leczenia chorych sprzętów.

Po wejściu na salę oczom naszym przedstawiła się istna rupieciarnia. Były tam fotele bez nóg, tapczany bez sprężyn, popękane lustra, zepsute zegary, popaczone stoły, powykrzywiane szafy, dziurawe krzesła i mnóstwo rozmaitych innych zniszczonych sprzętów.

Pan Kleks kazał nam ustawić się pod ścianami, sam natomiast zabrał się do pracy.

Każdy sprzęt, do którego zbliżał się pan Kleks, trzeszczał lub skrzypiał na jego widok i ufnie ocierał się o jego ubranie. Krzesła i stołki z radości tupały nogami, a zegary pojękiwały zepsutymi sprężynami.

Z największą ciekawością przyglądaliśmy się zabiegom pana Kleksa. Zabrał się on przede wszystkim do stołu, który stał w rogu sali. Opukał go dokładnie na wszystkie strony, ujął za jedną z nóg i zmierzył mu puls, po czym przemówił niezmiernie czule:

– No co, mój maleńki? Już cię nie boli, prawda? Gorączka minęła, deski się zrosły, za trzy, cztery dni będziesz zdrów zupełnie.

Podczas gdy stół cichutko skomlał, pan Kleks wysmarował mu blat żółtą maścią i szpary w deskach przysypał zielonkawym proszkiem.

Następnie zbliżył się do szafy, która straszliwie zaskrzypiała obojgiem drzwi:

– Jak tam? – zapytał pan Kleks. – Czy bardzo jeszcze kaszlesz? Chyba nie. Wkrótce już będziesz zdrowa, tylko się nie martw.

Mówiąc to, przyłożył ucho do jej pleców, bardzo uważnie wysłuchał, po czym napuścił kroplomierzem do wszystkich zawiasów po kropli oleju rycynowego.

Szafa odetchnęła głęboko i czule poczęła łasić się do pana Kleksa.

– Jutro cię jeszcze odwiedzę – rzekł pan Kleks – bądź tylko dobrej myśli.

Na ścianie wisiało pęknięte lustro. Pan Kleks przejrzał się w lustrze dokładnie i poprawił sobie piegi na nosie, wyjął z kieszeni czarny angielski plasterek i nalepił go wzdłuż całego pęknięcia.

– Patrzcie, chłopcy, uczcie się, jak trzeba leczyć pęknięte szkło! – zawołał do nas wesoło pan Kleks.

Po tych słowach jął nacierać lustro flanelową szmatką, a gdy po chwili odlepił plasterek, nie było już ani śladu pęknięcia.

– Niech Anastazy i Artur zaniosą lustro do jadalni. Jest już zdrowe – powiedział pan Kleks.

Nieco dłużej trwały zabiegi przy zepsutym zegarze. Trzeba było przepłukiwać wszystkie śrubki, zapuszczać kropelki, smarować i nacierać pękniętą sprężynę, jodynować wahadło.

– Biedactwo – rozczulał się nad nim pan Kleks – tyle musisz się nacierpieć. No, ale nic, wszystko będzie dobrze.

Gdy pan Kleks pocałował go w cyferblat i czule pogłaskał po drewnianej szafce, zegar nagle wydzwonił godzinę, wahadło poszło w ruch i w całej sali rozległo się głośne „Tik-tak, tik-tak, tik-tak".

Byliśmy po prostu zdumieni, a niebawem mieliśmy sposobność przekonać się, jak bardzo przywiązane są do pana Kleksa chore sprzęty.

Zamierzaliśmy właśnie opuścić szpital, gdy nagle okazało się, że pan Kleks zgubił swoją ulubioną złotą wykałaczkę.

– Nie wyjdę stąd, dopóki zguba się nie znajdzie – oznajmił pan Kleks.

Rozpoczęły się poszukiwania. Wszyscy, ilu nas tylko było, poklękaliśmy na podłodze i pełzając na czworakach, przeszukiwaliśmy zakamarki, kąty i skrytki. Mateusz fruwał po całej sali, wtykając dziób do rozmaitych szpar i szczelin w podłodze i w ścianach, tylko pan Kleks siedział w powietrzu z nogą założoną na nogę, łykał pigułki na porost włosów, bo mu kilka ze zmartwienia wypadło, i rozmyślał.

Poszukiwania nasze trwały długo, a mimo to nie zdołaliśmy odnaleźć wykałaczki. Pan Kleks również był bezsilny, gdyż jego prawe oko nie wróciło jeszcze z Księżyca i wskutek tego nie mogło być wysłane na oględziny.

Nic też dziwnego, że widząc zgryzotę pana Kleksa i naszą niezaradność, chore sprzęty same zabrały się do szukania zguby. Kulawe stoliki i stołki kuśtykały po całej sali, dziurki od klucza rozglądały się uważnie dookoła, szuflady powysuwały się, pojękując dnami, lustra usiłowały odbić po kolei wszystko, co tylko mogły w sobie pomieścić, wreszcie piec, pragnąc także przyczynić się do znalezienia wykałaczki, powtarzał nieustannie:

– Zimno-zimno-ciepło, zimno-ciepło-ciepło.

Zegar chodził bardzo długo i dopiero gdy zaczął się zbliżać do okna, piec zawołał:

– Ciepło-ciepło-ciepło!

Zegar obejrzał dokładnie parapet i ramy okna, a potem zabrał się do przeszukiwania firanek.

– Gorąco-gorąco! – wołał piec.

Okazało się, że wykałaczka najspokojniej tkwiła w fałdach firanki tuż nad podłogą.

W ten sposób chore sprzęty odnalazły zgubę pana Kleksa.

Pobyt nasz w szpitalu przeciągnął się do południa. O tej porze pan Kleks jada zazwyczaj drugie śniadanie, my zaś udajemy się nad staw lub na boisko, gdzie codziennie odbywa się jedna lekcja na świeżym powietrzu.

Zatem gdy po wyjściu ze szpitala chorych sprzętów zeszliśmy na dół, pan Kleks wypłynął przez okno do ogrodu na połów motyli, Mateusz natomiast zarządził zbiórkę i poprowadził nas na boisko, na lekcję geografii. Byłem już poprzednio w dwóch szkołach, ale po raz pierwszy w życiu widziałem taką lekcję geografii.

Mateusz wytoczył na boisko dużą piłkę zrobioną z globusa, rozdzielił nas wszystkich na dwie drużyny i powyznaczał nam stanowiska zupełnie tak, jak do gry w piłkę nożną. Mateusz był sędzią, fruwał nieustannie w ślad za piłką i gwizdał, gdy któryś z nas popełniał błędy. Cała zaś sztuka polegała na tym, aby uderzając w piłkę nogą, wymieniać równocześnie miasto, rzekę albo górę, w którą właśnie trafił czubek trzewika.

Na znak dany przez Mateusza gra się rozpoczęła. Biegaliśmy za globusem jak szaleni i kopaliśmy piłkę z całych sił.

Przy każdym kopnięciu padał okrzyk któregoś z graczy:

– Radom!

– Australia!

– Londyn!

– Tatry!

– Skierniewice!

– Wisła!

– Berlin!

– Grecja!

Mateusz gwizdał raz po raz, okazywało się bowiem, że Antoni wymienił Skierniewice zamiast Mysłowic, Albert pomieszał Kielce z Chinami, zaś Anastazy wziął Afrykę za Morze Bałtyckie.

Gra ta bawiła nas niesłychanie, popychaliśmy jeden drugiego, przewracaliśmy się na ziemię, wykrzykiwaliśmy nazwy miast, krajów i mórz, Mateuszowi pot spływał z dzioba, ja sapałem jak miech kowalski, a jednak nauczyłem się przy tym z geografii więcej niż w dwóch poprzednich szkołach w ciągu trzech lat.

Przy samym końcu gry przytrafił się pewien nieprzewidziany przypadek: jeden z Aleksandrów tak mocno kopnął globus, że wzbił się on niezmiernie wysoko, a następnie spadł nie na boisko, lecz przeleciał przez mur i dostał się w ten sposób na teren jednej z sąsiednich bajek. Byliśmy ogromnie zakłopotani, gdyż nie wiedzieliśmy, w jakiej bajce mamy szukać naszej piłki: czy udać się do Tomcia Palucha, czy do Trzech Świnek, czy też może do Sindbada Żeglarza.

Gdy tak zastanawialiśmy się nad tym, co począć, rozległ się nagle wesoły głos Mateusza:

– Aga, opcy!

Co miało oznaczać:

– Uwaga, chłopcy!

Spojrzeliśmy przed siebie i oczom naszym ukazał się niezwykły widok: od strony muru zbliżała się do nas prześliczna Królewna Śnieżka, a za nią dwunastu krasnoludków dźwigało na plecach nasz globus.

Pobiegliśmy na spotkanie, witając ich jak najserdeczniej.

Królewna Śnieżka uśmiechnęła się do nas łaskawie i rzekła:

– Wasza piłka potłukła mi kilka zabawek, mimo to jednak zwracam ją wam, ale pod warunkiem że nauczycie moich krasnoludków geografii.

– Doskonale! Bardzo chętnie! – zawołał Anastazy, który był najśmielszy z nas wszystkich.

Tymczasem stała się rzecz zgoła niespodziewana: Królewna Śnieżka, a wraz z nią dwunastu jej poddanych, zaczęli pomału topnieć i rozpływać się w gorących promieniach sierpniowego słońca.

– Zapomniałam, że u was jest przecież lato – szepnęła zawstydzona Królewna Śnieżka.

Zanim zorientowaliśmy się w sytuacji, biedna Królewna Śnieżka z każdą chwilą malała, topniejąc coraz bardziej, aż wreszcie rozpuściła się całkiem i zamieniła się w maleńki przezroczysty strumyczek. Połączyło się z nim dwanaście innych strumyczków i wszystkie razem popłynęły w stronę jednej z furtek w murze, szemrząc znane słowa marsza krasnoludków:

Hej-ha, hej-ho,
Do domu by się szło!

„Jak to dobrze, że nie jestem ze śniegu" – pomyślałem sobie, patrząc na oddalający się coraz bardziej strumyczek. Tak skończyły się odwiedziny Królewny Śnieżki w Akademii pana Kleksa.

Gdy tak stałem zamyślony, rozległ się gwałtowny dźwięk dzwonka.

To Mateusz wzywał nas na obiad.

Różni tacy

Samochwała

Samochwała w kącie stała
I wciąż tak opowiadała:

– Zdolna jestem niesłychanie,
Najpiękniejsze mam ubranie,
Moja buzia tryska zdrowiem,
Jak coś powiem, to już powiem,
Jak odpowiem, to roztropnie,
W szkole mam najlepsze stopnie,
Śpiewam lepiej niż w operze,
Świetnie jeżdżę na rowerze,
Znakomicie muchy łapię.
Wiem, gdzie Wisła jest na mapie,
Jestem mądra, jestem zgrabna,
Wiotka, słodka i powabna,
A w dodatku, daję słowo,
Mam rodzinę wyjątkową:
Tato mój do pieca sięga,
Moja mama – taka tęga,
Moja siostra – taka mała,
A ja jestem – samochwała!

Kłamczucha

– Proszę pana, proszę pana,
Zaszła u nas wielka zmiana:
Moja starsza siostra Bronka
Zamieniła się w skowronka,
Siedzi cały dzień na buku
I powtarza: „Kuku, kuku!”.

– Pomyśl tylko, co ty pleciesz!
To zwyczajne kłamstwo przecież.

– Proszę pana, proszę pana,
Rzecz się stała niesłychana:
Zamiast deszczu u sąsiada
Dziś padała oranżada,
I w dodatku całkiem sucha.

– Fe, nieładnie! Fe, kłamczucha!

– To nie wszystko, proszę pana!
U stryjenki wczoraj z rana
Abecadło z pieca spadło,
Całą pieczeń z rondla zjadło,
A tymczasem na obiedzie
Miał być lew i dwa niedźwiedzie.

– To dopiero jest kłamczucha!

– Proszę pana, niech pan słucha!
Po południu na zabawie
Utonęła kaczka w stawie.
Pan nie wierzy? Daję słowo!
Sprowadzono straż ogniową,
Przecedzono wodę sitem,
A co ryb złowiono przy tym!

– Fe, nieładnie! Któż tak kłamie?
Zaraz się poskarżę mamie!

Leń

Na tapczanie siedzi leń,
Nic nie robi cały dzień.

– O, wypraszam to sobie!
Jak to? Ja nic nie robię?
A kto siedzi na tapczanie?
A kto zjadł pierwsze śniadanie?
A kto dzisiaj pluł i łapał?
A kto się w głowę podrapał?
A kto dziś zgubił kalosze?
O – o! Proszę!

Na tapczanie siedzi leń,
Nic nie robi cały dzień.

– Przepraszam! A tranu nie piłem?
A uszu dzisiaj nie myłem?
A nie urwałem guzika?
A nie pokazałem języka?
A nie chodziłem się strzyc?
To wszystko nazywa się nic?

Na tapczanie siedzi leń,
Nic nie robi cały dzień.

Nie poszedł do szkoły, bo mu się nie chciało,
Nie odrobił lekcji, bo czasu miał za mało,
Nie zasznurował trzewików, bo nie miał ochoty,
Nie powiedział „dzień dobry”, bo z tym za dużo roboty,
Nie napoił Azorka, bo za daleko jest woda,
Nie nakarmił kanarka, bo czasu mu było szkoda;
Miał zjeść kolację – tylko ustami mlasnął,
Miał położyć się spać – nie zdążył – zasnął.
Śniło mu się, że nad czymś ogromnie się trudził;
Tak zmęczył się tym snem, że się obudził.

Skarżypyta

– Piotruś nie był dzisiaj w szkole,
Antek zrobił dziurę w stole,
Wanda obrus poplamiła,
Zosia szyi nie umyła,
Jurek zgubił klucz, a Wacek
Zjadł ze stołu cały placek.

– Któż się ciebie o to pyta!
– Nikt. Ja jestem skarżypyta.

Pytalski

Na ulicy Trybunalskiej
Mieszka sobie Staś Pytalski,
Co, gdy tylko się obudzi,
Pytaniami dręczy ludzi.

– W którym miejscu zaczyna się kula?
Co na deser gotują dla króla?
Ile kroków jest stąd do Powiśla?
O czym myślałby stół, gdyby myślał?
Czy lenistwo na łokcie się mierzy?
Skąd wiadomo, że Jurek to Jerzy?
Kto powiedział, że kury są głupie?
Ile much może zmieścić się w zupie?
Na co łysym potrzebna łysina?
Kto indykom guziki zapina?
Skąd się biorą bruneci na świecie?
Ile ważą dwa kleksy w kajecie?
Czy się wierzy niemowie na słowo?
Czy jaskółka potrafi być krową?

Dziadek już od roku siedzi
I obmyśla odpowiedzi,
Babka jakiś czas myślała,
Ale wkrótce osiwiała,
Matka wpadła w stan nerwowy
I musiała zażyć bromu,

Ojciec zaś poszedł po rozum do głowy
I kiedy powróci – nie wiadomo.

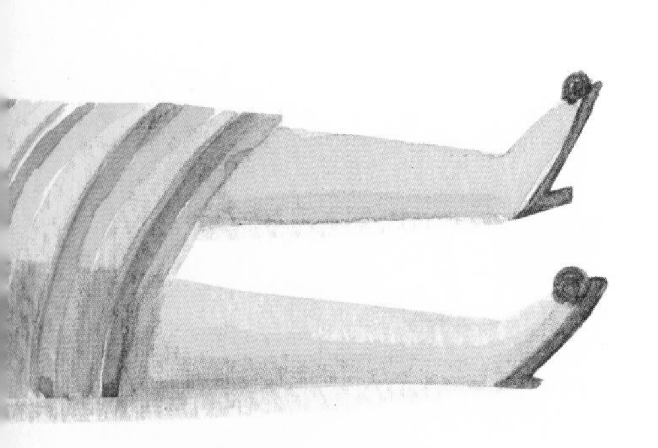

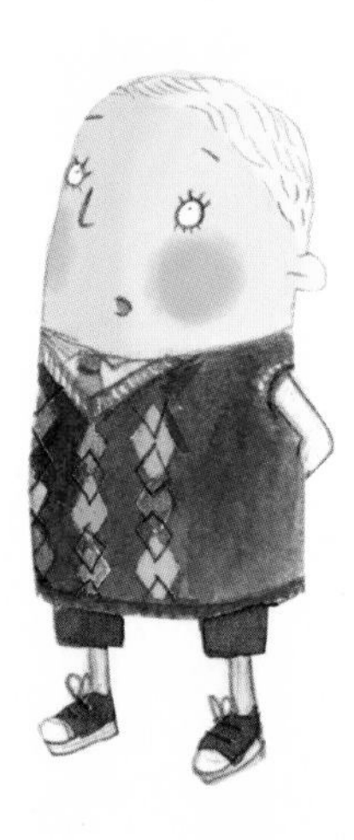

PLOTKI,
Smutki,
OPOWIEŚCI

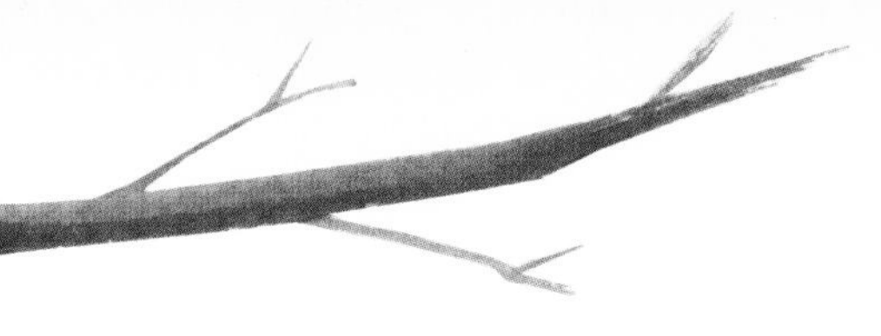

Ptasie plotki

Usiadła zięba na dębie:
– Na pewno dziś się przeziębię!

Dostanę chrypki, być może,
Głos jeszcze stracę, broń Boże,

A koncert mam zamówiony
W najbliższą środę u wrony.

Jęknęły smutnie żołędzie:
– Co będzie, ziębo, co będzie?

Leć do dzięcioła, do buka,
Niech dzięcioł ciebie opuka!

Podniosła lament sikora:
– Podobno zięba jest chora!

Gil z tym poleciał do szpaka:
– Jest sprawa taka a taka,

Mówiła właśnie sikora,
Że zięba jest ciężko chora.

Poleciał szpak do słowika:
– Ze słów sikory wynika,

Że zięba już od miesiąca
Po prostu jest konająca.

Słowik wróblowi polecił,
By trumnę dla zięby sklecił.

Rzekł wróbel do drozda: – Drożdzie,
Do trumny przynieś mi gwoździe.

Stąd dowiedziała się wrona,
Że zięba na pewno kona.

A zięba nic nie wiedziała,
Na dębie sobie siedziała,

Aż jej doniosły żołędzie,
Że koncert się nie odbędzie,

Gdyż zięba właśnie umarła
Na ciężką chorobę gardła.

Kaczka-dziwaczka

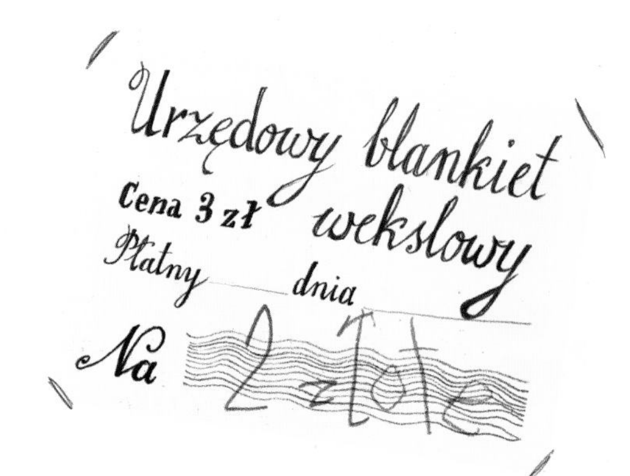

Nad rzeką opodal krzaczka
Mieszkała kaczka-dziwaczka,
Lecz zamiast trzymać się rzeczki,
Robiła piesze wycieczki.

Raz poszła więc do fryzjera:
– Poproszę o kilo sera!
Tuż obok była apteka:
– Poproszę mleka pięć deka.
Z apteki poszła do praczki
Kupować pocztowe znaczki.

Gryzły się kaczki okropnie:
– A niech tę kaczkę gęś kopnie!

Znosiła jaja na twardo
I miała czubek z kokardą,
A przy tym, na przekór kaczkom,
Czesała się wykałaczką.
Kupiła raz maczku paczkę,
By pisać list drobnym maczkiem.
Zjadając tasiemkę starą,
Mówiła, że to makaron,
A gdy połknęła dwa złote,
Mówiła, że odda potem.

Martwiły się inne kaczki:
– Co będzie z takiej dziwaczki?

Aż wreszcie znalazł się kupiec:
– Na obiad można ją upiec!

Pan kucharz kaczkę starannie
Piekł, jak należy w brytfannie,
Lecz zdębiał, obiad podając,
Bo z kaczki zrobił się zając,
W dodatku cały w buraczkach.

Taka to była dziwaczka!

Kwoka

Proszę pana, pewna kwoka
Traktowała świat z wysoka

I mówiła z przekonaniem:
– Grunt – to dobre wychowanie!

Zaprosiła raz więc gości,
By nauczyć ich grzeczności.

Osioł pierwszy wszedł, lecz przy tym
W progu garnek stłukł kopytem.

Kwoka wielki krzyk podniosła:
– Widział kto takiego osła?!

Przyszła krowa. Tuż za progiem
Zbiła szybę lewym rogiem.

Kwoka, gniewna i surowa,
Zawołała: – A to krowa!

Przyszła świnia prosto z błota.
Kwoka złości się i miota:

– Co też pani tu wyczynia?
Tak nabłocić! A to świnia!

Przyszedł baran. Chciał na grzędzie
Siąść cichutko w drugim rzędzie,

Grzęda pękła. Kwoka, wściekła,
Coś o łbie baranim rzekła

I dodała: – Próżne słowa,
Takich nikt już nie wychowa,

Trudno… Wszyscy się wynoście!
No i poszli sobie goście.

Czy ta kwoka, proszę pana,
Była dobrze wychowana?

Niedźwiedź

Proszę państwa, oto miś.
Miś jest bardzo grzeczny dziś,
Chętnie państwu łapę poda.
Nie chce podać? A to szkoda.

Dzik

Dzik jest dziki, dzik jest zły,
Dzik ma bardzo ostre kły.
Kto spotyka w lesie dzika,
Ten na drzewo szybko zmyka.

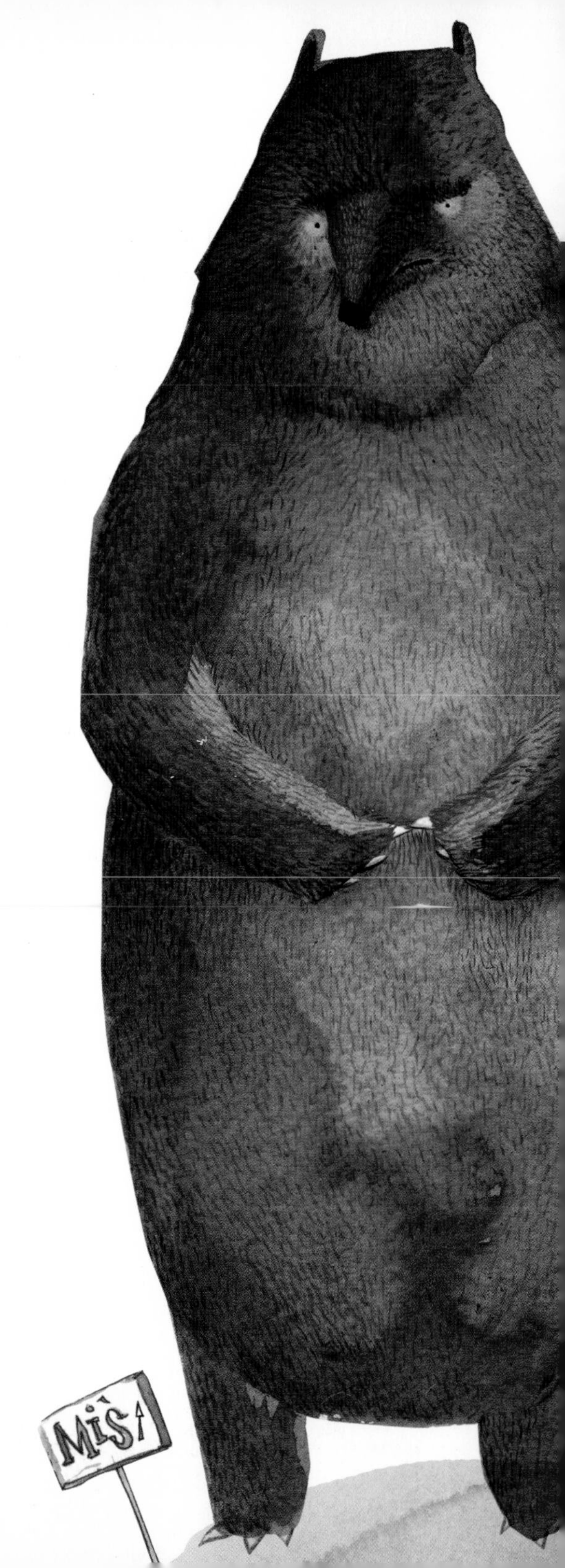

Sójka

Wybiera się sójka za morze,
Ale wybrać się nie może.

– Trudno jest się rozstać z krajem,
A ja właśnie się rozstaję.

Poleciała więc na kresy
Pozałatwiać interesy.

Odwiedziła najpierw Szczecin,
Bo tam miała dwoje dzieci,
W Kielcach była dwa tygodnie,
Żeby wyspać się wygodnie,
Jedną noc spędziła w Gdyni
U znajomej gospodyni,
Wpadła także do Pułtuska,
Żeby w Narwi się popluskać,
A z Pułtuska do Torunia,
Gdzie mieszkała jej ciotunia.

Po ciotuni jeszcze sójka
Odwiedziła w Gnieźnie wujka,
Potem matkę, ojca, syna
I kuzyna z Krotoszyna.
Pożegnała się z rodziną,
A tymczasem rok upłynął.

Znów wybiera się za morze,
Ale wybrać się nie może.

Myśli sobie: „Nie zaszkodzi
Po zakupy wpaść do Łodzi".
Kupowała w Łodzi jaja,
Targowała się do maja,
Poleciała do Pabianic,
Dała dziesięć groszy – za nic,
A że już nie miała więcej,
Więc siedziała pięć miesięcy.

– Teraz – rzekła – czas za morze!
Ale wybrać się nie może.

Posiedziała w Częstochowie,
W Jędrzejowie i w Miechowie,
Odwiedziła Mysłowice,
Cieszyn, Trzyniec, Wadowice.
Potem jeszcze z lotu ptaka
Obejrzała miasto Kraka:
Wawel, Kopiec, Sukiennice,
Piękne place i ulice.

– Jeszcze wpadnę do Rogowa,
Wtedy będę już gotowa.

Przesiedziała tam do września,
Bo ją prosił o to chrześniak.
Odwiedziła w Gdańsku stryja,
A tu trzeci rok już mija.

Znów wybiera się za morze,
Ale wybrać się nie może.

– Trzeba lecieć do Warszawy,
Pozałatwiać wszystkie sprawy:
Paszport, wizy i dewizy,
Kupić kufry i walizy.

Poleciała, lecz pod Grójcem
Znów się żal zrobiło sójce.

– Nic nie stracę, gdy w Warszawie
Dłużej dzień czy dwa zabawię.

Zabawiła tydzień cały,
Miesiąc, kwartał, trzy kwartały!
Gdy już rok przebyła w mieście,
Pomyślała sobie wreszcie:
„Kto chce zwiedzać obce kraje,
Niechaj zwiedza. Ja – zostaję”.

Mucha

Z kąpieli każdy korzysta,
A mucha chciała być czysta.
W niedzielę kąpała się w smole,
A w poniedziałek – w rosole,
We wtorek – w czerwonym winie,
A znowu w środę – w czerninie,
A potem w czwartek – w bigosie,
A w piątek – w tatarskim sosie,
W sobotę – w soku z moreli.
Co miała z takich kąpieli?
Co miała? Zmartwienie miała,
Bo z brudu lepi się cała,
A na myśl jej nie przychodzi,
Żeby wykąpać się w wodzie.

Chrząszcz

W Szczebrzeszynie chrząszcz brzmi w trzcinie
I Szczebrzeszyn z tego słynie.

Wół go pyta: – Panie chrząszczu,
Po co pan tak brzęczy w gąszczu?

– Jak to – po co? To jest praca,
Każda praca się opłaca.

– A cóż za to pan dostaje?
– Też pytanie! Wszystkie gaje,

Wszystkie trzciny po wsze czasy,
Łąki, pola oraz lasy,

Nawet rzeczki, nawet zdroje,
Wszystko to jest właśnie moje!

Wół pomyślał: „Znakomicie,
Też rozpocznę takie życie".

Wrócił do dom i wesoło
Zaczął brzęczeć pod stodołą

Po wolemu, tęgim basem.
A tu Maciek szedł tymczasem.

Jak nie wrzaśnie: – Cóż to znaczy?
Czemu to się wół próżniaczy?!

– Jak to? Czyż ja nic nie robię?
Przecież właśnie brzęczę sobie!

– Ja ci tu pobrzęczę, wole,
Dosyć tego! Jazda w pole!

I dał taką mu robotę,
Że się wół oblewał potem.

Po robocie pobiegł w gąszcze.
– Już ja to na chrząszczu pomszczę!

Lecz nie zastał chrząszcza w trzcinie,
Bo chrząszcz właśnie brzęczał w Pszczynie.

Wrona i ser

„Niech mi każdy powie szczerze,
Skąd się wzięły dziury w serze?"

Indyk odrzekł: „Ja właściwie
Sam się temu bardzo dziwię".

Kogut zapiał z galanterią:
„Kto by też brał ser na serio?".

Owca stała zadumana:
„Pójdę, spytam się barana".

Koń odezwał się najprościej:
„Moja rzecz to dziury w moście!".

Pies obwąchał ser dokładnie:
„Czuję kota: on tu kradnie!".

Kot udając, że nie słyszy,
Miauknął: „Dziury robią myszy".

Przyleciała wreszcie wrona:
„Sprawa będzie wyjaśniona,

Próbę dziur natychmiast zrobię,
Bo mam świetne czucie w dziobie".

Bada dziury, jak należy,
Każdą dziurę w serze mierzy,

Każdą zgłębia i przebiera –
A gdzie ser jest? Nie ma sera!

Indyk zsiniał, owca zbladła:
„Gwałtu! Wrona ser nam zjadła!".

Na to wrona na nich z góry:
„Wam chodziło wszak o dziury.

Wprawdzie ser zużyłam cały,
Ale dziury pozostały!

Bo gdy badam, nic nie gadam
I co trzeba zjeść, to zjadam.

Trudno. Nikt dziś nie docenia
Prawdziwego poświęcenia!".

Po czym wrona, jak to ona,
Poszła sobie obrażona.

Żuraw i czapla

Przykro było żurawiowi,
Że samotnie ryby łowi.

Patrzy – czapla na wysepce
Wdzięcznie z błota wodę chłepce.

Rzecze do niej zachwycony:
„Piękna czaplo, szukam żony,

Będę kochał ciebie, wierz mi,
Więc czym prędzej się pobierzmy".

Czapla piórka swe poprawia:
„Nie chcę męża mieć żurawia!".

Poszedł żuraw obrażony.
„Trudno. Będę żył bez żony".

A już czapla myśli sobie:
„Czy właściwie dobrze robię?

Skoro żuraw tak namawia,
Chyba wyjdę za żurawia!".

Pomyślała, poczłapała,
Do żurawia zapukała

Żuraw łykał żurawinę,
Więc miał bardzo kwaśną minę.

„Przyszłam spełnić twe życzenie”.
„Teraz ja się nie ożenię,

Niepotrzebnie pani papla,
Żegnam panią, pani czapla!”

Poszła czapla obrażona.
Żuraw myśli: „Co za żona!

Chyba pójdę i przeproszę…”.
Włożył czapkę, wdział kalosze

I do czapli znowu puka.
„Czego pan tu u mnie szuka?”

„Chcę się żenić”. „Pan na męża?
Po co pan się nadwyręża?

Szkoda było pańskiej drogi,
Drogi panie laskonogi!”

Poszedł żuraw obrażony:
„Trudno. Będę żył bez żony”.

A już czapla myśli: „Szkoda,
Wszak nie jestem taka młoda,

Żuraw prośby wciąż ponawia,
Chyba wyjdę za żurawia!".

W piękne piórka się przebrała,
Do żurawia poczłapała.

Tak już chodzą lata długie,
Jedno chce – to nie chce drugie,

Chodzą wciąż tą samą drogą,
Ale pobrać się nie mogą.

Stonoga

Mieszkała stonoga pod Białą,
Bo tak się jej podobało.
Raz przychodzi liścik mały
Do stonogi,
Że proszona jest do Białej
Na pierogi.
Ucieszyło to stonogę,
Więc ruszyła szybko w drogę.

Nim zdążyła dojść do Białej,
Nogi jej się poplątały:
Lewa z prawą, przednia z tylną,
Każdej nodze bardzo pilno;
Szósta zdążyć chce za siódmą,
Ale siódmej iść za trudno,
No, bo przed nią stoi ósma,
Która właśnie jakiś guz ma.
Chciała minąć jedenastą,
Poplątała się z piętnastą,
A ta znów z dwudziestą piątą,
Trzydziesta z dziewięćdziesiątą,
A druga z czterdziestą czwartą,
Choć wcale nie było warto.
Stanęła stonoga wśród drogi,
Rozplątać chce sobie nogi;
A w Białej stygną pierogi!

Rozplątała pierwszą, drugą,
Z trzecią trwało bardzo długo,
Zanim doszła do trzydziestej,
Zapomniała o dwudziestej,
Przy czterdziestej już się krząta –
No, a gdzie jest pięćdziesiąta?
Sześćdziesiątą nogę beszta:
– Prędzej, prędzej! A gdzie reszta?

To wszystko tak długo trwało,
Że przez ten czas całą Białą
Przemalowano na zielono,
A do Zielonej stonogi nie proszono.

Żubr

Pozwólcie przedstawić sobie:
Pan żubr we własnej osobie.
No, pokaż się, żubrze. Zróbże
Minę uprzejmą, żubrze.

Struś

Struś ze strachu
Ciągle głowę chowa w piachu,
Więc ma opinię mazgaja.
A nadto znosi jaja wielkości strusiego jaja.

Psie smutki

Na brzegu błękitnej rzeczki
Mieszkają małe smuteczki.
Ten pierwszy jest z tego powodu,
Że nie wolno wchodzić do ogrodu,
Drugi – że woda nie chce być sucha,
Trzeci – że mucha wleciała do ucha,
A jeszcze, że kot musi drapać,
Że kura nie daje się złapać,
Że nie można gryźć w nogę sąsiada
I że z nieba kiełbasa nie spada,
A ostatni smuteczek jest o to,
Że człowiek jedzie, a piesek musi biec piechotą.
Lecz wystarczy pieskowi dać mleczko
I już nie ma smuteczków nad rzeczką.

Sum

Mieszkał w Wiśle sum wąsaty,
Znakomity matematyk.

Krzyczał więc na całe skrzele:
– Do mnie, młodzi przyjaciele!

W dni powszednie i niedzielę
Na życzenie mnożę, dzielę,

Odejmuję i dodaję,
I pomyłek nie uznaję!

Każdy mógł więc przyjść do suma
I zapytać: – Jaka suma?

A sum jeden w całej Wiśle
Odpowiadał na to ściśle.

Znała suma cała rzeka,
Więc raz przybył lin z daleka

I powiada: – Drogi panie,
Ja dla pana mam zadanie.

Jeśli pan tak liczyć umie,
Niech pan powie, panie sumie,

Czy pan zdoła w swym pojęciu
Odjąć zero od dziesięciu?

Sum uśmiechnął się z przekąsem,
Liczy, liczy coś pod wąsem,

Wąs sumiasty jak u suma,
A sum duma, duma, duma.

– To dopiero mam z tym biedę:
Może dziesięć? Może jeden?

Upłynęły dwie godziny,
Sum z wysiłku jest już siny.

Myśli, myśli: „To dopiero!
Od dziesięciu odjąć zero?

Żebym miał przynajmniej kredę!
Zaraz, zaraz… Wiem już… Jeden!

Nie! Nie jeden. Dziesięć chyba…
Ach, ten lin! Ta wstrętna ryba!”.

A lin szydzi: – Panie sumie,
W sumie pan niewiele umie!

Sum ze wstydu schnie i chudnie,
Już mu liczyć coraz trudniej…

A tu minął wieczór cały,
Wszystkie ryby się pospały

I nastało znów południe,
A sum chudnie, chudnie, chudnie

I nim dni minęło kilka,
Stał się chudy niczym kilka,

Więc opuścił wody słodkie
I za żonę pojął szprotkę.

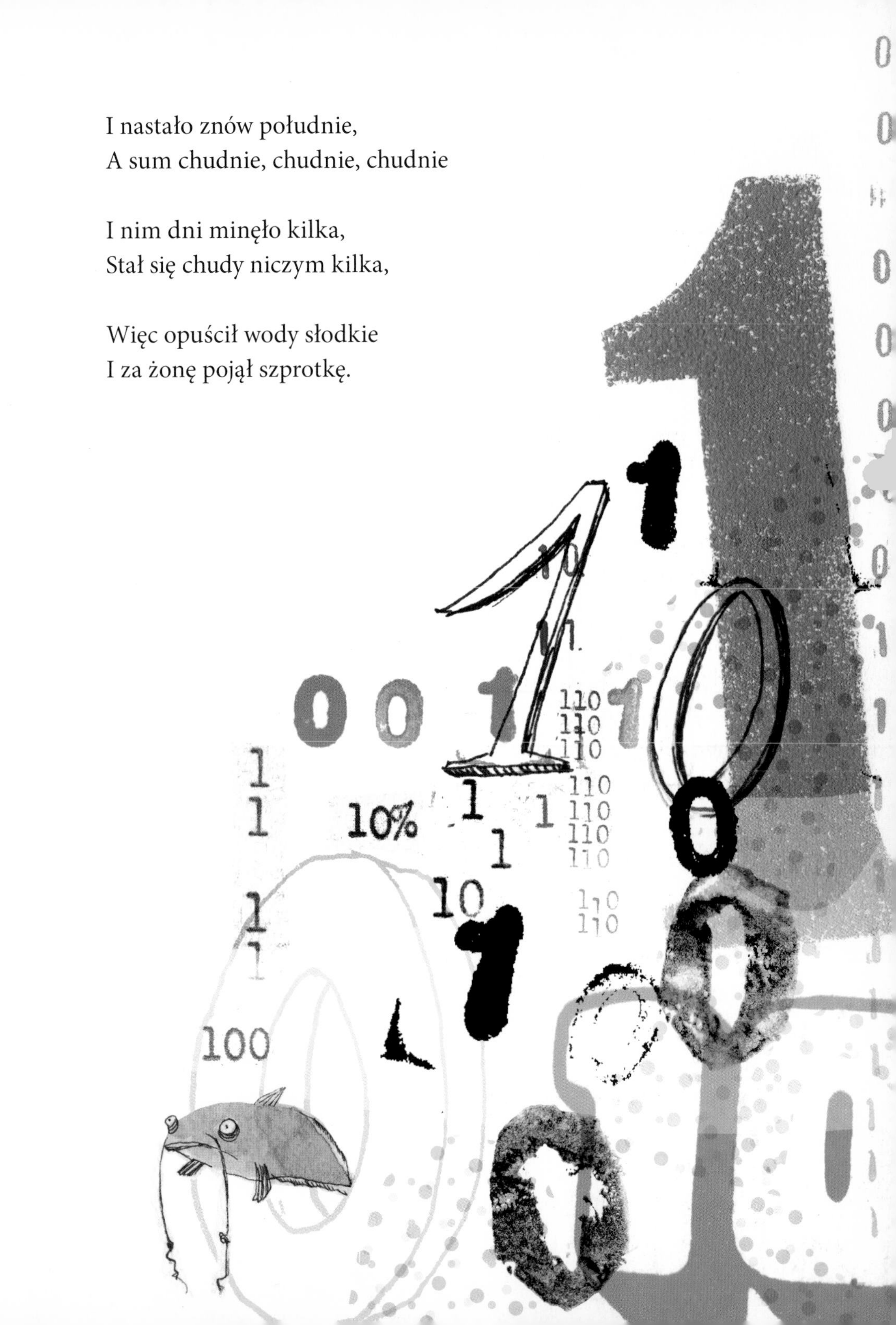

Papuga

– Papużko, papużko,
Powiedz mi coś na uszko.
– Nic ci nie powiem, boś ty plotkarz –
Powtórzysz każdemu, kogo spotkasz.

Kangur

– Jakie pan ma stopy duże,
Panie kangurze!
– Wiadomo – dlatego kangury
W skarpetkach robią dziury.

Koziołeczek

Posłał kozioł koziołeczka
Po bułeczki do miasteczka.
Koziołeczek ruszył w drogę,
Wtem się natknął na stonogę.
Zadrżał z trwogi, no i w nogi –
Gaik, steczka, mostek, rzeczka,
A tam czekał ojciec srogi
I ukarał koziołeczka:
– Taki tchórz! Taki tchórz!
Ledwo wyszedł, wrócił już!
Ładne rzeczy! Ładne rzeczy!
A koziołek tylko beczy:
    – Jak nie uciec, ojcze drogi,
    Przecież sam rozumiesz to:
    Ja mam tylko cztery nogi,
    A stonoga ma ich sto!

Posłał kozioł koziołeczka
Po ciasteczka do miasteczka.
Koziołeczek mknie raz-dwa-trzy.
Nagle staje, nagle patrzy:
Chustka wisi na parkanie –
Koziołeczek tedy w nogi!
I znów dostał w domu lanie,
Bo był ojciec bardzo srogi:

– Taki tchórz! Taki tchórz!
Ledwo wyszedł, wrócił już!
Ładne rzeczy! Ładne rzeczy!
A koziołek tylko beczy:

– Jak nie uciec, ojcze drogi,
Czyż jest słuszna kara twa?
Chustka ma wszak cztery rogi,
A ja mam zaledwie dwa!

Jajko

Było sobie raz jajko mądrzejsze od kury.
　　Kura wyłazi ze skóry,
Prosi, błaga, namawia: – Bądź głupsze!
　　Lecz co można poradzić, kiedy ktoś się uprze?

Kura martwi się bardzo i nad jajkiem gdacze,
　　A ono powiada, że jest kacze.

Kura prosi serdecznie i szczerze:
　　– Nie trzęś się, bo będziesz nieświeże.
A ono właśnie się trzęsie
　　I mówi, że jest gęsie.

Kura do niego zwraca się z nauką,
　　Że jajka łatwo się tłuką,
A ono powiada, że to bajka,
　　Bo w wapnie trzyma się jajka.

Kura czule namawia: – Chodź, to cię wysiedzę.
　　A ono ucieka za miedzę,
Kładzie się na grządkę pustą
　　I oświadcza, że będzie kapustą.

Kura powiada: – Nie chodź na ulicę,
　　Bo zrobią z ciebie jajecznicę.

A jajko na to najbezczelniej:
– Na ulicy nie ma patelni.

Kura mówi: – Ostrożnie! To gorąca woda!
A jajko na to: – Zimna woda! Szkoda!
Wskoczyło do ukropu z miną bardzo hardą
I ugotowało się na twardo.

Opowiedział dzięcioł sowie

Opowieści różne znacie:
Więc opowieść o piracie,
O Magiku Mechaniku,
O zaklętym koguciku,
O północnym, groźnym wietrze
I o chorym termometrze.
O uczonym kocie w butach
I o wyspach Bergamutach,
O diabełku na kominie,
O sierotce Klementynie,
O entliczku, o pentliczku
I o Janku Wędrowniczku,
O Paproszku – mądrym skrzacie –
Wszystkie te historie znacie.
Ale dziś mam – daję słowo –
Bajkę dla was całkiem nową.

Posłuchajcie: pod Dąbrową
Jest dąbrowa. W tej dąbrowie
Opowiedział dzięcioł sowie
O tym, czego się dowiedział,
Kiedy w leśnej dziupli siedział.
Ja to wszystko podsłuchałem
I czym prędzej zapisałem.

I

Było tak: w sędziwym lesie,
Który widać na bezkresie,
Mieszkał bury wilk Barnaba,
Zamożniejszy od nababa.
Miał on skarbów pełne wory
I wciąż znosił do komory
Smakołyki i frykasy,
Z których słyną polskie lasy.

Miał Barnaba spryt handlowy,
Więc założył wśród dąbrowy
Sklep dla zwierząt. Na polanie
Wybudował rusztowanie,
Poukładał mech u góry,
Pozatykał gliną dziury,
Gałęziami ściany pokrył
I, z wysiłku cały mokry,
Siadł za ladą. Na tej ladzie
Smakowite kęski kładzie.
Każdy łatwo coś wyszuka:
Jest tu przysmak dla borsuka,
Jest pachnący ser dla lisa,
Dla niedźwiedzia pełna misa,
Coś dla kuny do zjedzenia,
Świeża marchew dla jelenia,
Dla jaszczurek smaczny żurek
I orzechy dla wiewiórek.
Siedzi wilk Barnaba w sklepie
I zmrużywszy jedno ślepie,

Wszystkich woła i zaprasza:
– Komu jaja, komu kasza,
Komu mleko na śniadanie?
U mnie w sklepie jest najtaniej!

Wielka była to przynęta,
A więc zbiegły się zwierzęta.
Wszystkie tłoczą się u lady:
– Proszę kilo marmolady…
– A ja garść orzechów proszę…
– Dla mnie sadła za trzy grosze…
– Dla mnie miodu dziesięć deka…
– A ja proszę kwartę mleka…

Wilk się krząta i na ladzie
Co najgorszy towar kładzie,
Nie doważa, nie domierza,
Marmolada jest nieświeża,
Sadło zgniłe i nietłuste,
Gorzki ser, orzechy puste,
Zamiast mleka – sama woda.
Wprost każdego grosza szkoda!

– Jak tu drogo! – jęknął zając.
Na to rzekł Barnaba, wstając:
– Kto powiedział, że jest drogo?
Nie prosiłem z was nikogo,
By odwiedzał moją knieję.
Komu drogo – niechaj nie je!
A jak chodzi o zające,
Radzę zmykać, bo przetrącę!

Czmychnął zając, nie czekając –
Nie przekona wilka zając.
Sarna wstała pełna trwogi,
Tchórz wiewiórce szepnął: – W nogi!
I nie wziąwszy nawet reszty,
Zmykał szybko, gubiąc meszty.

II

Nieco dalej, stąd pół mili,
Mieszkał siwy ryś Bazyli.
Był wąsaty, zły i srogi;
Każdy rad był zejść mu z drogi,
A on prychał, a on mruczał,
Wszystkim bruździł i dokuczał.
Nawet rudy lis Mikita
Bardzo grzecznie rysia witał
I udając, że jest chory,
Szybko biegł do swojej nory.

Ryś miał także sklep swój w lesie;
Znał się ryś na interesie,
Toteż jego sklep był pełny
Ciepłych futer, pierza, wełny,
Ptasich czubków, barwnych piórek
I kapturków dla wiewiórek.
Siedział ryś Bazyli w sklepie
I zmrużywszy jedno ślepie,
Wołał ciągle: – Idzie zima,
Kto na zimę futra nie ma,

Bar
na
bex
F.H.U.
BAZ
YLI
SZOP
Laszyn
PRZYMIE
RZALNIA

Kto lenieje lub łysieje,
Niech tu biegnie poprzez knieję,
Bowiem każde leśne zwierzę
U mnie ciepło się ubierze,
Ptak – odnowi swoje pierze,
Wszystko można dostać u mnie!

Więc zwierzęta biegły tłumnie.
Ten coś kupił, ów coś kupił,
A Bazyli skórę łupił,
Zamiast futer wtykał szmaty,
Zamiast skórek – stare łaty,
Zamiast wełny – pęk badyli.
Taki to był ryś Bazyli!

Niedaleko sklepu rysia
Była w jarze jama lisia,
Dobrze pośród drzew ukryta.
Mieszkał w jamie lis Mikita.
Po wsiach znał kurniki liczne
I zagrody okoliczne,
Umiał świetnie w każdym czasie
Wykryć nowe gniazda ptasie,
Umiał gąskę podejść z bliska,
Wiedział, gdzie są kretowiska,
Po karasie biegł do rzeki
I wybierał miód z pasieki.

Zdobycz swoją co dni kilka
Lis Mikita niósł do wilka.
Wilk unosił się na ławce:

– Czekam, czekam na dostawcę.
Pokaż towar. Cóż to? Kaczka?
Ależ chuda nieboraczka!
Gęś? Nie będzie z niej pociechy;
Jajka? Małe jak orzechy.
Nie, Mikito, miód niesłodki,
A karasie są jak płotki.

Nędzna zdobycz, drogi lisie,
I na moje widzimisię
Warta cztery skórki krecie.
Ale więcej? Nigdy w świecie!

Lis miał mores przed Barnabą –
Potargował się dość słabo,
Schował skórki, a po chwili
Już go witał ryś Bazyli:
– Cóż przynosisz dziś, Mikito?
Cztery skórki? Dobre i to.
Mogę wziąć je, chętnie służę,
Dam ci za nie jajko kurze.
Lis podskoczył: – Nie kpij ze mnie!
Słuchać nawet nieprzyjemnie.
Za te skórki, wyznać przykro,
Dałem trzy karasie z ikrą,
Dziesięć jajek, kaczkę młodą,
Gęś i duży plaster miodu.
Ryś uderzył groźnie w ladę:
– Skórki biorę, jajko kładę
I nie radzę wszczynać kłótni,
Bo się skończy jeszcze smutniej.

Lis do kłótni nie był skory –
Poszedł z jajkiem do swej nory
I pomyślał, płaczu bliski:
„To są właśnie moje zyski".

III

Wilk bogacił się na sklepie,
Ryś stał także coraz lepiej.
Jeśli chodzi o Mikitę,
Ten się trzymał własnym sprytem.
Lecz zwierzęta – że wymienię
Tchórze, jeże i jelenie,
Nawet kuny i niedźwiedzie –
Wszystkie były w wielkiej biedzie.

A tymczasem przyszła jesień,
Coraz głodniej było w lesie,
Coraz głodniej, coraz chłodniej,
Upływały dni, tygodnie,
W lesie było brak żywności,
Poszły wszystkie oszczędności,
A u rysia i u wilka
Ceny rosły co dni kilka.

Wilk Barnaba siedział w sklepie
I zmrużywszy jedno ślepie,
Wykrzykiwał: – Głodomory,
Opuszczajcie wasze nory,
Przybywajcie do mnie tłumnie!

Tylko u mnie, tylko u mnie
Są kiełbaski i serdelki,
I przysmaków wybór wielki!

Równocześnie z innej strony
Ryś Bazyli niestrudzony
Wołał: – Do mnie, chuderlaki!
Mam serdaki, mam kubraki,
Skórki ciepłe jak pierzyny
I zimowe peleryny.
Lecz zachęta nie pomoże,
Kiedy nędza jest w komorze,
Bo kupują ci, co płacą,
A kupować nie ma za co.

Tak cierpiała knieja cała,
Wreszcie miarka się przebrała.

Mieszkał w lesie niedźwiedź Błażej,
Choć wyglądał nie najstarzej,
Szanowały go zwierzęta,
Tak jak ludzie – prezydenta.
Przyszły tedy do Błażeja:
– W tobie cała jest nadzieja!
W lesie chłodno, w domu głodno,
Daj nam radę niezawodną,
Bo Barnaba i Bazyli
Już doszczętnie nas złupili.

Niedźwiedź w ucho się podrapał,
Długo myślał, długo sapał,

Wreszcie rzekł: – Mam pomysł taki:
Niech kukułka wszystkie ptaki
I zwierzęta z całej kniei
Zawiadomi po kolei,
Że w świetlicy „Pod Żołędziem”
Jutro się nasz sejm odbędzie.

– Świetnie! Świetnie! – krzyknął zając.
Sejm zwołajmy, nie zwlekając!
– Racja – rzekły dwie kukułki,
Nierozłączne przyjaciółki. –
Obwieścimy wnet orędzie,
Że się jutro sejm odbędzie.

Zaraz wzięły się do dzieła,
Jedna w prawo pofrunęła,
Druga w lewo – i kukały
Dwie kukułki przez dzień cały.

IV

Wielkie tłumy sejm zgromadził.
Niedźwiedź z braćmi się naradził,
Po czym wszedł na podwyższenie
I pozdrowił zgromadzenie:
– Witam sarny i jelenie,
Witam kuny, tchórze, jeże,
Nawet lisy witam szczerze
I borsuki, i zające,
Całe ptactwo śpiewające,

Nawet srokę, nawet sowę,
Witam wszystkich, jednym słowem.
Moi drodzy, znamy dzisiaj
Sprawki wilka, sprawki rysia.
Czas już skończyć z ich wyzyskiem,
Więc niech nad tym przede wszystkim
Sejm nasz dziś się zastanowi.
Głos oddaję borsukowi.

Borsuk wstał, poprawił przedział,
Chrząknął, po czym tak powiedział:
– Mogę wyznać nie bez dumy,
Żem tu wszystkie zjadł rozumy,
Żem obmyślił wszystko ściśle
I wam powiem to, co myślę.
Czas już wreszcie wyjść z potrzasku,
Przestać jadać babki z piasku,
Chleb ze śniegu, figi z makiem.
Otóż ja mam plany takie:
Każdy ptak i każde zwierzę
W swej komorze coś wybierze
I natychmiast tu przyniesie
Jako udział w interesie.
Gdy zbierzemy już udziały,
Otworzymy sklep wspaniały,
Gdzie się będą sprzedawały
Tanie, świeże wiktuały.
Wspólnym trudem i staraniem
Zdobędziemy futra tanie,
Tanie sadło, tanią kaszę.
Zjednoczymy siły nasze.

Wszyscy razem, nie oddzielnie,
Ale dzielnie tę spółdzielnię
Przed nadejściem jeszcze zimy
Wspólną pracą utworzymy.

Jeleń krzyknął: – Dobrze gada!
To przynajmniej mądra rada!
Tchórz zawołał: – Brawo, brawo,
Trzeba zająć się tą sprawą,
Bo gdzie jest wysiłek zgodny,
Tam dobrobyt niezawodny!

Tu przemówił lis Mikita:
– Myśl naprawdę znakomita,
Ruch spółdzielczy bardzo cenię,
Chętnie swą naturę zmienię
I zapewniam zgromadzenie,
Że od dzisiaj najrzetelniej
Chcę pracować dla spółdzielni.
– Świetnie! – rzekły dwie kukułki,
Nierozłączne przyjaciółki,
I uparcie coś kukały
W sposób dość niezrozumiały.

Niedźwiedź przerwał to kukanie:
– Dosyć, dosyć, moje panie.
Sprawa jasna, szkoda czasu!
Budujemy sklep wśród lasu.
Wszystkich czeka ciężka praca –
Praca zawsze się opłaca.
Przekonajmy więc borsuka,

Że nie poszła w las nauka,
Że już wilk nas nie oszuka,
Że już ryś nas nie oszwabi –
Żeśmy silni, a nie słabi.
– Brawo, brawo! – krzyknął zając.
Sklep budujmy, nie zwlekając,
Lecz uczcijmy wpierw Błażeja,
Kniei naszej dobrodzieja!

– Oczywiście! W górę! W górę! –
Zawołali wszyscy chórem
I wesoło, choć z wysiłkiem,
Podrzucali go jak piłkę,
A kukułka z przyjaciółką
Szybowały nad nim w kółko.

V

Wszyscy zgodnie pracowali:
Więc niedźwiedzie – wzorem drwali –
Dostarczyły pni i pali.
Sarny z wszystkich stron się zbiegły
I lepiły z gliny cegły.
Z wodnej tafli jeleń szybki
Pozdejmował szklane szybki.

Przy stawianiu pieców kuna
Wykonała pracę zduna.
Jeże igieł dostarczyły,
A dzięcioły z całej siły

Deski nimi przybijały
Do podłogi i powały.

Pracowali wszyscy zgodnie
I w niespełna dwa tygodnie
Sklep stał całkiem już gotowy
Na polanie wśród dąbrowy.

Wnet borsuki, tchórze, kozły
Najróżniejszy prowiant zwiozły:
Sadło, kaszę i serdelki,
I przysmaków wybór wielki.
Oprócz tego sklep był pełny
Ciepłych futer, pierza, wełny,
Ptasich czubków, barwnych piórek
I kapturków dla wiewiórek.

A za ladą lis Mikita
Kupujących grzecznie wita,
Tu odważy, tam odmierzy,
Towar dobry, tani, świeży.
Nikt nikogo nie oszwabia,
Nikt na nikim nie zarabia,
Bo gdzie łączą wspólne cele,
Tam są wszyscy przyjaciele.

Sklep szedł odtąd jak najlepiej,
Każdy wszystko dostał w sklepie
I w powszechnym dobrobycie
Upływało leśne życie.
A kukułka z przyjaciółką

Wespół
Sp. Z O.O.

Wciąż latały tylko w kółko
I na przekór innym ptakom
Ułożyły piosnkę taką:

– Powiedzcie, jaskółki,
Ku-ku,
Gdzie mam kupić bułki?
Ku-ku!
– W spółdzielczym sklepie,
Ku-ku,
Kupisz najlepiej,
Ku-ku!
– Powiedzcie mi, kraski,
Ku-ku,
Gdzie mam kupić placki?
Ku-ku!
– W spółdzielczym sklepie,
Ku-ku,
Kupisz najlepiej,
Ku-ku!
– Powiedzcie, słowiki,
Ku-ku,
Gdzie kupić pierniki?
Ku-ku!
– W spółdzielczym sklepie,
Ku-ku,
Kupisz najlepiej,
Ku-ku!

Tak śpiewały i kukały
Dwie kukułki przez dzień cały.

Bury wilk przed sklepem swoim
Stał i patrzył z niepokojem.
Wreszcie zamknął go na kłódkę
I opuścił las ze smutkiem.

– Trudno! – westchnął ryś Bazyli.
Także zamknął sklep po chwili
I opuścił z żalem knieję.

Co się z nimi teraz dzieje,
Tego nawet dzięcioł sowie,
Choć jest plotkarz – nie opowie.

Żyrafa

Żyrafa tym głównie żyje,
Że w górę wyciąga szyję.
A ja zazdroszczę żyrafie,
Ja nie potrafię.

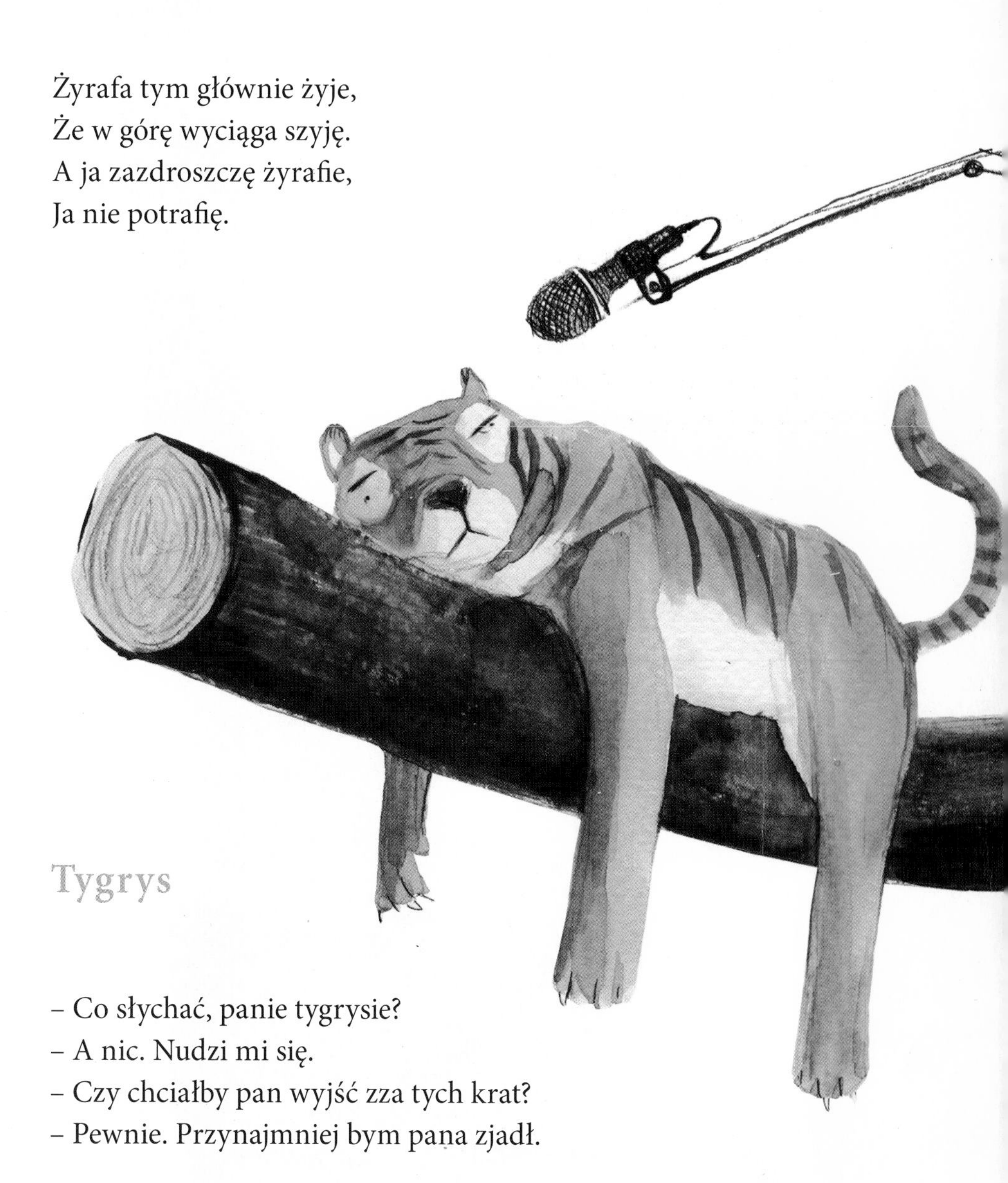

Tygrys

– Co słychać, panie tygrysie?
– A nic. Nudzi mi się.
– Czy chciałby pan wyjść zza tych krat?
– Pewnie. Przynajmniej bym pana zjadł.

Entliczek-Pentliczek

BIG APPLE

Entliczek-pentliczek

Entliczek-pentliczek, czerwony stoliczek,
A na tym stoliczku pleciony koszyczek,

W koszyczku jabłuszko, w jabłuszku robaczek,
A na tym robaczku zielony kubraczek.

Powiada robaczek: – I dziadek, i babka,
I ojciec, i matka jadali wciąż jabłka,

A ja już nie mogę! Już dosyć! Już basta!
Mam chęć na befsztyczek! – I poszedł do miasta.

Szedł tydzień, a jednak nie zmienił zamiaru;
Gdy znalazł się w mieście, poleciał do baru.

Są w barach – wiadomo – zwyczaje utarte:
Podchodzi doń kelner, podaje mu kartę,

A w karcie – okropność! – przyznacie to sami:
Jest zupa jabłkowa i knedle z jabłkami,

Duszone są jabłka, pieczone są jabłka
I z jabłek szarlotka, i placek, i babka!

No, widzisz, robaczku! I gdzie twój befsztyczek?
Entliczek-pentliczek, czerwony stoliczek.

Tańcowała igła z nitką

Tańcowała igła z nitką,
Igła – pięknie, nitka – brzydko.

Igła cała jak z igiełki,
Nitce plączą się supełki.

Igła naprzód – nitka za nią:
– Ach, jak cudnie tańczyć z panią!

Igła biegnie drobnym ściegiem,
A za igłą – nitka biegiem.

Igła górą, nitka bokiem,
Igła zerka jednym okiem,

Sunie zwinna, zręczna, śmigła.
Nitka szepce: – Co za igła!

Tak ze sobą tańcowały,
Aż uszyły fartuch cały!

Pomidor

Pan pomidor wlazł na tyczkę
I przedrzeźnia ogrodniczkę.
    Jak pan może,
    Panie pomidorze?!

Oburzyło to fasolę:
– A ja panu nie pozwolę!
    Jak pan może,
    Panie pomidorze?!

Groch zzieleniał aż ze złości:
– Że też nie wstyd jest waszmości!
    Jak pan może,
    Panie pomidorze?!

Rzepa także go zagadnie:
– Fe! Niedobrze! Fe! Nieładnie!
    Jak pan może,
    Panie pomidorze?!

Rozgniewały się warzywa:
– Pan już trochę nadużywa.
Jak pan może,
Panie pomidorze?!

Pan pomidor, zawstydzony,
Cały zrobił się czerwony
I spadł wprost ze swojej tyczki
Do koszyczka ogrodniczki.

Siedmiomilowe buty

Pojechał Michał pod Częstochowę,
Tam kupił buty siedmiomilowe.

Co stąpnie nogą – siedem mil trzaśnie,
Bo Michał takie buty miał właśnie.

Szedł pełen dumy, szedł pełen buty
W siedmiomilowe buty obuty.

W piętnaście minut był już w Warszawie:
– Tutaj – powiada – dłużej zabawię!

Żona spojrzała i zapłakała:
– Już nie dopędzę mego Michała!

Dzieci go ciągle tramwajem gonią,
A on już w Kutnie, a on już w Błoniu.

Wybrał się Michał z żoną do kina,
Lecz zawędrował do Radzymina.

Chciał starszą córkę odwiedzić w mieście,
Adres – wiadomo – Złota 30.

Poszedł piechotą, bo było blisko,
Trafił na Złotą, ale w Grodzisku.

Raz się umówił z teściem na rynku,
Zanim się spostrzegł – był w Ciechocinku.

Pobiegł z powrotem, myśląc, że zdąży,
I wnet się znalazł na rynku… w Łomży.

Chciał do Warszawy powrócić wreszcie,
Ale co chwila był w innym mieście:

W Kielcach, w Kaliszu, w Płocku, w Szczecinie
I w Skierniewicach, i w Koszalinie.

Nie mógł utrafić! Więc pod Opocznem
Jęknął żałośnie: – Tutaj odpocznę!

Usiadł i spojrzał ogromnie struty
Na swoje siedmiomilowe buty,

Zdjął je ze złością, do wody wrzucił
I na bosaka do domu wrócił.

Globus

W szkole
Na stole
Stał globus –
Wielkości arbuza.
Aż tu naraz jakiś łobuz
Nabił mu guza.
Z tego wynikła
Historia całkiem niezwykła:

Siedlce wpadły do Krakowa,
Kraków zmienił się w jezioro,
Nowy Targ za San się schował,
A San urósł w górę sporą.

Tatry, nagle wywrócone,
Okazały się w dolinie,
Wieprz popłynął w inną stronę
I zawadził aż o Gdynię.

Tam, gdzie wpierw płynęła Wisła,
Wyskoczyła wielka góra,
Rzeka Bzura całkiem prysła,
A powstała góra Bzura.

Stary Giewont zląkł się wielce
I przykucnął pod parkanem;

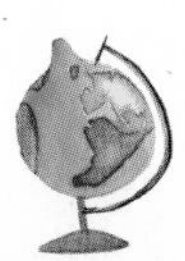

Każdy myślał, że to Kielce,
A to było Zakopane.

Łódź pobiegła pod Opole
W jakichś bardzo ważnych sprawach –
Tylko nikt nie wiedział w szkole,
Gdzie podziała się Warszawa.

Nie było jej na Śląsku ani w Poznańskiem,
Ani na Pomorzu, ani pod Gdańskiem,
Ani na Ziemiach Zachodnich,
Ani na północ od nich,
Ani blisko, ani daleko,
Ani nad żadną rzeką,
Ani nad żadnym z mórz.
Po prostu przepadła – i już!

Trzeba prędzej oddać globus do naprawy,
Bo nie może Polska istnieć bez Warszawy!

Na wyspach Bergamutach...

Na wyspach Bergamutach
Podobno jest kot w butach.

Widziano także osła,
Którego mrówka niosła.

Jest kura samograjka
Znosząca złote jajka;

Na dębach rosną jabłka
W gronostajowych czapkach,

Jest i wieloryb stary,
Co nosi okulary,

Uczone są łososie
W pomidorowym sosie

I tresowane szczury
Na szczycie szklanej góry,

Jest słoń z trąbami dwiema
I tylko... wysp tych nie ma.

Na straganie

Na straganie w dzień targowy
Takie słyszy się rozmowy:

– Może pan się o mnie oprze,
Pan tak więdnie, panie Koprze.

– Cóż się dziwić, mój Szczypiorku,
Leżę tutaj już od wtorku!

Rzecze na to Kalarepka:
– Spójrz na Rzepę – ta jest krzepka!

Groch po brzuszku Rzepę klepie:
– Jak tam, Rzepo? Coraz lepiej?

– Dzięki, dzięki, panie Grochu,
Jakoś żyje się po trochu,

Lecz Pietruszka – z tą jest gorzej:
Blada, chuda, spać nie może.

– A to feler –
Westchnął Seler.

Burak stroni od Cebuli,
A Cebula doń się czuli:

– Mój Buraku, mój czerwony,
Czybyś nie chciał takiej żony?

Burak tylko nos zatyka:
– Niech no pani prędzej zmyka,

Ja chcę żonę mieć buraczą,
Bo przy pani wszyscy płaczą.

– A to feler –
Westchnął Seler.

Naraz słychać głos Fasoli:
– Gdzie się pani tu gramoli?!

– Nie bądź dla mnie taka wielka!
Odpowiada jej Brukselka.

– Widzieliście, jaka krewka! –
Zaperzyła się Marchewka.

– Niech rozsądzi nas Kapusta!
– Co, Kapusta?! Głowa pusta?!

A Kapusta rzecze smutnie:
– Moi drodzy, po co kłótnie,

Po co wasze swary głupie,
Wnet i tak zginiemy w zupie!

– A to feler –
Westchnął Seler.

Tydzień

Tydzień dzieci miał siedmioro:
– Niech się tutaj wszystkie zbiorą!

Ale przecież nie tak łatwo
Radzić sobie z liczną dziatwą:

Poniedziałek już od wtorku
Poszukuje kota w worku,

Wtorek środę wziął pod brodę:
– Chodźmy sitkiem czerpać wodę.

Czwartek w górze igłą grzebie
I zaszywa dziury w niebie.

Chcieli pracę skończyć w piątek,
A to ledwie był początek.

Zamyśliła się sobota:
– Toż dopiero jest robota!

Poszli razem do niedzieli,
Tam porządnie odpoczęli.

Tydzień drapie się w przedziałek:
– No, a gdzie jest poniedziałek?

Poniedziałek już od wtorku
Poszukuje kota w worku...
I tak dalej...

Spis * TREŚCI

Fot. archiwum rodzinne

Jan Brzechwa (1900–1966) był z zawodu adwokatem, uznanym w Polsce i w Europie specjalistą z zakresu prawa autorskiego. Naprawdę nazywał się Jan Lesman. Debiutował bardzo młodo: jako piętnastoletni chłopiec ogłosił w czasopiśmie „Sztandar" swoje pierwsze, młodzieńcze wiersze, które podpisał używanym później przez całe życie pseudonimem Brzechwa (pseudonim ten, oznaczający tylną, końcową część strzały, wymyślił jego stryjeczny brat, Bolesław Leśmian). Pisał utwory poetyckie dla dorosłych, utwory satyryczne do kabaretów i teksty piosenek. Prawdziwą sławę i uznanie zyskał dzięki twórczości dla dzieci. Pierwszy tomik, *Tańcowała igła z nitką*, wydał w 1938 r., na krótko przed wybuchem wojny. Znalazły się w nim m.in. takie znane do dziś wiersze jak *Pomidor*, *Żuraw i czapla*, *Na straganie*, *Katar*. Potem powstawały kolejne tomiki, m.in. *Kaczka dziwaczka* (1939), *Ptasie plotki* (1946), *Na wyspach Bergamutach* (1948), *Brzechwa dzieciom* (1953), *Sto bajek* (1958) i wiele, wiele innych. Napisał dla dzieci również opowiadania prozą i wierszem, m.in. *Pan Drops i jego trupa* (1946), *Przygody rycerza Szaławiły* (1948), a także trzytomową powieść o przygodach pana Kleksa i jego uczniów (tom pierwszy, *Akademia pana Kleksa*, ukazał się w 1946 r.). Powieść ta została zekranizowana, a piosenki z filmu, których teksty stanowiły śpiewane wiersze Jana Brzechwy, wracają w repertuarze dziecięcych zespołów i chórów do dziś. Na motywach *Pana Kleksa* powstał również musical, cieszący się wielkim zainteresowaniem dzieci i dorosłych.

G.L.

Fot. Daniel Bravo

Joanna Rusinek urodziła się w 1978 roku w Krakowie. Uczyła się na panią od angielskiego, panią od plastyki, aż wreszcie skończyła studia na Wydziale Grafiki krakowskiej ASP. Projektuje okładki, ilustruje książki dla dzieci i robi filmy animowane. Lubi jeść dobre rzeczy i oglądać dobre filmy – najlepiej jednocześnie.

Zilustrowała między innymi *Piotrusia Pana i Wendy* J.M. Barriego, *Kreskę i Kropka* Jarosława Mikołajewskiego i *Samotnego Jędrusia* Wojciecha Widłaka, a ilustrowany przez nią *Mały Chopin* napisany przez jej brata Michała ruszył dzielnie w świat, bo został przetłumaczony na kilkanaście języków (w tym chiński i japoński).

Wydawnictwo NASZA KSIĘGARNIA Sp. z o.o.
02-868 Warszawa, ul. Sarabandy 24c
tel. 22 643 93 89, 22 331 91 49,
faks 22 643 70 28
e-mail: naszaksiegarnia@nk.com.pl

Dział Handlowy:
tel. 22 331 91 55, tel./faks 22 643 64 42
Sprzedaż wysyłkowa: tel. 22 641 56 32
e-mail: sklep.wysylkowy@nk.com.pl www.nk.com.pl

Książka została wydrukowana na papierze
One Matt 115 g/m^2.

Redaktor prowadzący Katarzyna Piętka
Korekta Joanna Morawska, Joanna Kończak
Redaktor techniczny, opracowanie DTP Agnieszka Czubaszek

ISBN 978-83-10-12145-5

PRINTED IN POLAND

Wydawnictwo „Nasza Księgarnia", Warszawa 2011 r.
Druk: Zakład Graficzny COLONEL, Kraków